Henrique Constantino
DESEJO DE GOL

Copyright © 2020 Henrique Constantino

Desejo de gol
1ª edição: Fevereiro 2021

Direitos reservados desta edição: CDG Edições e Publicações

O conteúdo desta obra é de total responsabilidade do autor e não reflete necessariamente a opinião da editora.

Autor:
Henrique Constantino

Preparação de texto:
Juliana Rodrigues

Revisão:
3GB Consulting

Capa:
Dharana Rivas

Foto de capa:
Marcelo Lozanis

Diagramação:
Jéssica Wendy

DADOS INTERNACIONAIS DE CATALOGAÇÃO NA PUBLICAÇÃO (CIP)

Constantino, Henrique, 1971-
    Desejo de gol / Henrique Constantino. -- Porto Alegre: CDG, 2021.

    256 p.

    ISBN: 978-65-87885-24-7

    1. Gol Transportes Aéreos - História 2. Constantino, Henrique, 1971- Memórias autobiográficas 3. Empresários - Biografia I. Título II. Pompeu, Julio

20-4405   CDD - 926.58

Angélica Ilacqua - Bibliotecária - CRB-8/7057

Produção editorial e distribuição:

contato@citadel.com.br
www.citadel.com.br

Henrique Constantino

DESEJO DE GOL

Histórias e confissões
de um empresário que ajudou
a criar uma das maiores empresas
de aviação do Brasil e que popularizou
o transporte aéreo nacional

*Para minha mulher, Vanessa,
meus filhos, Enzo, Pietro, Manoela e Felipe,
e para todas as pessoas que buscam
uma sociedade mais justa.*

Sumário

Apresentação: Por que escrever o livro?   9

1. "Aqui é a Polícia Federal. Abre a porta!"   15
2. Viagem expressa: da lavoura para as estradas, do interior para a cidade dos negócios   25
3. Voando alto   39
4. Monossilábico, fácil de memorizar e brasileiro   49
5. Chegou a hora e a vez do Chiquinho   57
6. Guerra nos céus e nos gabinetes do Brasil. E nas Torres Gêmeas de Nova York   67
7. O meu "clone" era um vip 171   79
8. Rumo a Wall Street e ao dobro do tamanho   87
9. O fim das mordomias   93
10. Estamos no mundo   103
11. Pousando (com segurança) na curta pista do Santos Dumont   111
12. "Armênia", o projeto servido em cores laranja e vermelho, com aulas do professor e recusa da assinatura do vice-presidente   117
13. Tudo perfeito   125
14. Uma tragédia no céu da Amazônia   131
15. Perda total   141

16. Um apagão no meio do caos	151
17. A Varig é nossa	157
18. Tragédia na pista de Congonhas e luto em todo o Brasil	167
19. A crise que parou o mundo	173
20. Corte na própria carne	179
21. Superando traumas para a retomada	185
22. Do campo para a comissão técnica	191
23. A mudança	197
24. Forças contrárias	203
25. Um interlúdio: recebendo o abraço do papa Francisco	211
26. Novo ciclo	215
27. Arrumações antes da tempestade	223
28. Gol contra	229
29. Limpando a infecção	235
30. Sangue laranja	241

Epílogo: *Um vírus viaja pelo mundo, mata centenas de milhares de pessoas, paralisa os céus e redefine nosso futuro* 247

Apresentação

Por que escrever este livro?

Este livro é um relato pessoal sobre alguns dos momentos mais importantes da vida de uma grande empresa brasileira, do país e da minha própria. Relata, sob a perspectiva de um empreendedor, o embarque numa grande aventura: popularizar o transporte aéreo no Brasil, antes um privilégio para poucos, hoje uma forma quase universal de viajar. No meio dessa aventura maior, nos envolvemos em inúmeras miniaventuras, mais pontuais, porém igualmente desafiadoras. Mergulhamos em projetos enormes, apostas repletas de incertezas, tragédias humanas, disputas comerciais agressivas, ataques da concorrência, contra-ataques, reviravoltas, negociações sutis, outras nem tanto. Foi incrível. Mas muito difícil.

Sim, difícil porque aquela missão maior não era, nunca foi, nada simples numa economia e numa política por natureza turbulentas. Não foram poucas as situações em que voos de cruzeiro foram imediatamente sucedidos por intensos solavancos e desvios de rota. Em muitos momentos, guinadas decorrentes do contexto do país; em outros, devido às tragédias que escapavam à nossa responsabilidade, ou por efeito direto de nossos próprios erros ou escolhas que pareciam acertadas naquele instante, mas se revelariam infrutíferas. Assim é a vida de qualquer negócio no Brasil – grande, médio ou pequeno –, mas é particularmente complexo num setor como o do transporte aéreo.

Este livro relata, sob a perspectiva de um dos seus fundadores, a história da GOL, que nasceu pequena, inventiva e inovadora, saída da cabeça de meia dúzia de pessoas, para ocupar a liderança na aviação comercial brasileira. É um setor repleto de *glamour*, que desperta a curiosidade, o interesse, a paixão e o conhecimento mesmo de quem nunca entrou numa cabine de aeronave.

Dedico muitos capítulos a essa história, mas o meu relato nas páginas a seguir vai bem além: compartilho com os leitores a minha vida pessoal naquilo que ela pôde expressar de mais sublime e doloroso. Fiz muitas coisas boas, participei de um empreendimento histórico, levei uma vida discreta no campo privado, mas fui conduzido a histórias diversas. Histórias rocambolescas (como aquela em que um falsário enganou meio mundo em Recife ao se passar por mim, "um dos donos da GOL"), histórias trágicas (como o acidente do voo 1907), histórias sobre amores e desamores societários (típicas no mundo empresarial em qualquer país) e uma história policial na qual fui o protagonista, num papel infelizmente nada edificante.

Como não tenho vocação para vender uma imagem de super-herói, busquei aqui ser honesto, franco e verdadeiro, produzindo um mosaico de sucessos, fracassos, altos e baixos, idas e vindas. Não posso negar, no entanto, que considero o saldo deste relato extremamente positivo – para mim, meus irmãos, meus pais, para as empresas que fundamos e fizemos crescer, para nossos colaboradores (o "time de águias" que nos acostumamos a defender e celebrar) e, por que não, para os brasileiros.

Muitas vezes parece difícil, para mim, explicar o motivo pelo qual decidi escrever este livro. Às vezes penso que é ego, vaidade, tristeza ou vergonha. Só sei que me faz bem relatar todas as minhas experiências, vitórias e derrotas. Sinto-me leve ao abrir o coração diante das pessoas que estão ao meu redor. Pessoas que gostam de mim e pessoas que me odeiam. Pessoas invejosas e indiferentes.

Sempre tentei ser um bom cidadão, apesar de viver influenciado por situações conflitantes com meus desejos. Não me refiro ao ambiente e às relações dentro de minha casa, pois nesse lugar sempre recebi instruções de boa-fé e trabalho justo. Porém, no meio empresarial e político, a situação era outra. Tudo por dinheiro ou poder. Nada é feito sem algum tipo de interesse. Todos normalmente são benfeitores e ajudam pessoas carentes, mas, em sua grande maioria, de uma forma obscura, tentando mostrar o seu lado bom para ocultar a verdadeira personalidade. De modo geral, ninguém fica muito feliz com o que é realizado, e muitos reclamam dessa situação, mas poucos se aventuram a mudar a história.

O que mais me assusta é a justificativa de que, se não for assim, não sobreviveremos, e o pior é que isso pode ser uma grande verdade. Mas é estranho saber que todos nós nos escondemos atrás dessa falácia. Mesmo sendo uma possibilidade em diversas situações, existem alternativas. Aceitar a extorsão e pagar o resgate do sequestro não pode ser a nossa única saída. Precisamos mudar. Não dá para concordar que as exigências necessariamente precisam ser atendidas senão tudo estará acabado. Não podemos reconhecer a derrota sem tentar ao menos mudar o rumo das coisas. Justificar nossa fragilidade com medo de retaliação é reconhecer que não somos capazes de fazer o certo. É reconhecer que somos derrotados por natureza.

Assim como escrevi este livro sem saber o motivo, não vejo nenhum motivo para não mudarmos o jogo. É claro que é mais fácil, para mim, falar depois de ter sido envolvido numa trama – cedi, cometendo um erro monumental, ainda que movido por uma intenção legítima e correta. Estou pagando um preço alto por esse erro. É fácil falar isso depois de ser envolvido em tal trama, e agora assumir a postura de um machão que vai encarar as propostas indecorosas de forma transparente, já que hoje ninguém mais tem coragem de propor nada a mim – mas, verdade seja dita, se não fizermos nada, o jogo continuará a ser jogado desse modo.

Ao mesmo tempo, expresso um desejo quase ingênuo de mudar o mundo. Gostaria de não ser um exemplo ruim para meus filhos e enteados. Gostaria de ser considerado uma pessoa do bem, que aprendeu com o erro para, com base nele, tentar mudar a história deste país. É muito improvável que eu consiga mudar tudo, mas acho que posso dar a minha contribuição social em busca de uma sociedade melhor, mais ética e mais justa.

Quando comecei a escrever este livro, percebi que ele tinha o objetivo não apenas de mostrar todos os gols que fiz ou ajudei a fazer, mas também, principalmente, de mostrar o meu gol contra. Isso tem me libertado e gerado uma sensação de alívio. Aqui cabe um agradecimento especial ao meu psicanalista, Dr. Jorge Forbes, incentivador deste projeto.

Por essa razão, dedico este livro aos brasileiros de boa-fé, que, mesmo diante de todos os avisos contrários, sempre pregaram o bem. Cabe aqui uma preocupação com a justiça a qualquer preço: ela significa fazer o bem usando o mal, e esse definitivamente não é o melhor caminho.

Dedico também este livro aos meus familiares, meus pais e irmãos, que, mesmo nos momentos mais tensos, estiveram ao meu lado. Quanto aos meus quatro filhos, só tenho a agradecer pelo apoio e suporte durante todos esses anos. Em nenhum momento duvidaram de mim. Pelo contrário, mesmo quando foram agredidos pela sociedade, mantiveram-se firmes ao meu lado, confiando em tudo que eu fazia, apesar da desconfiança a respeito de meus eventuais erros. Sempre fiéis e fortes em seu amor.

Dedico especialmente este livro à minha esposa, Vanessa, que em nenhum momento sequer se abalou com a situação ao meu lado. É claro que, quando esteve sozinha, deve ter chorado e ficado chateada com toda a exposição e as críticas a mim. Porém, em todos os momentos se manteve ao meu lado, me apoiando e, principalmente, confiando em mim e nas minhas decisões. Sempre fiel, soube mostrar a realidade da minha falha. Lamentava o ocorrido, mas jamais me passou a sensação de que não superaríamos as dificuldades. Alertou-me sobre a hipocrisia ao nosso redor e abriu meus olhos para as pessoas oportunistas. Sem ela eu não conseguiria escrever este livro, tampouco conseguiria viver em paz comigo mesmo. Seu amor sempre me cativa e me emociona. Sua paixão me fortalece e me dá coragem para contar tudo pelo que passei.

Por incrível que pareça, abrir o coração é muito difícil. Deveria ser natural de qualquer pessoa, mas não é, e, graças aos diálogos com minha esposa, consegui vencer a barreira do silêncio. Quero ser um orgulho para minha família, com essas eternas cicatrizes em meu corpo.

Para começar essa nova fase de minha vida, achei justo compartilhar com o mundo a minha história. Estou chegando à metade de minha expectativa de vida e tenho muito a ajudar no desenvolvimento da sociedade. Histórias como as minhas acontecem cotidianamente, e o aprendizado que advém delas não deve ser desperdiçado nem perdido com o lapso do tempo. Tal como a famosa arte milenar japonesa *Kintsugi*, na qual um vaso valioso quebrado acaba sendo consertado com fios de ouro e termina por valer mais do que o vaso original intacto, quero que minhas cicatrizes sirvam não como motivo de orgulho, mas sim como uma forma de aprendizado a todos que tiverem a oportunidade de ler estes meus relatos. O Brasil é muito maior do que isso e pode virar essa mesa se todos se unirem em busca de dias melhores. Basta fazermos a nossa parte e não jogarmos a culpa nos outros sem olhar para nossos próprios erros.

Espero que este livro ofereça lições e aprendizados não só sobre o mundo dos negócios, mas também sobre a ética. É escancarando a força e a fraqueza humana, expondo sucessos com a mesma honestidade dos fracassos, dividindo e assumindo os erros com a franqueza e a intensidade com que exibimos nossos melhores atributos que acredito, de maneira realista, na construção de um país mais promissor, mais harmônico e mais próspero.

São Paulo, setembro de 2020

1

"Aqui é a Polícia Federal. Abre a porta!"

Dia 1º de julho de 2016, uma sexta-feira, seis horas da manhã.

Ouvi o barulho de uma campainha, lá no fundo. Pela intensidade, não era um toque comum. Pior. Vinha acompanhado de alguns gritos e batidas fortes. Meio sonolento, entre o sono da manhã e o despertar, os ruídos pareciam distantes num primeiro momento – faziam parte do sonho ou vinham da porta de entrada do apartamento? Os gritos e as batidas prosseguiam, pareciam mais intensos. Era real. E, sim, pela estridência e proximidade do barulho, só poderiam ser na porta do meu apartamento, em São Paulo.

Olhei o celular, vi as horas, recobrei a consciência. *Algum funcionário de casa esqueceu as chaves?*, pensei comigo mesmo. *Não, está muito cedo. Eles chegam normalmente às sete horas.* A rispidez e a intensidade do barulho confirmavam: era algo mais sério. A campainha continuou tocando de forma acelerada. Vanessa, minha esposa, também despertou, me olhou preocupada e perguntou, inquieta:

— Está escutando essa gritaria? O que houve? – questionou, com visível tensão.

A faceta sombria daquele despertar se revelou quando abri a porta do meu quarto e passei a ouvir os gritos de forma mais clara e mais forte.

— Polícia Federal. Abre a porta ou vamos arrombar — foi a frase definitiva, dita com uma voz masculina nada amigável, enquanto socos eram dados na porta de forma agressiva.

Parecia mais de um.

Percorri atordoado o corredor dos quartos que levavam à sala de estar. Os gritos prosseguiam.

— Polícia Federal. Abre logo a porra dessa porta ou iremos invadir — repetiu a mesma voz.

Escutei então uma segunda voz, igualmente agressiva:

— Somos da Polícia Federal, e se não abrirem logo a gente vai derrubar essa porta.

O recado não podia ser mais claro. Mas fiquei me questionando se aquela situação era real e se, de fato, aqueles homens eram mesmo da Polícia Federal. O elevador do prédio onde eu morava na época tinha bloqueio de segurança digital para acessar o andar, e os porteiros recebiam recomendação expressa, claro, para não deixar ninguém subir sem autorização de cada morador.

Aquela agressividade toda também não cheirava bem, um destempero e uma gritaria que tornavam irreal aquela situação. Pelo menos da forma como eu estava entendendo até aquele momento. Era uma situação atípica e inusitada para mim.

— Não vou abrir — disse-lhes com firmeza, respirando fundo, mas já desesperado com aquilo tudo. — O que me garante que vocês são realmente policiais?

Foi quando ouvi uma voz conhecida, até ali calada:

— Sr. Henrique, aqui é o segurança Sales. Pode abrir, que estou com eles e são mesmo da Polícia Federal.

Ainda muito confuso com toda aquela situação, resolvi abrir a porta. Mas antes lhes pedi para que ficassem calmos.

— Vou abrir, mas não precisam agir dessa forma. Acalmem-se.

Meu apelo foi inútil:

— Abre logo, ou vamos arrebentar — reagiram, voltando a bater com toda a força na porta, que chegava a balançar, como se fosse quebrar a qualquer instante com a pressão que faziam.

Abri. E, em seguida, entraram dois homens de supetão, mas com a força de um grupo cinco vezes maior. A porta não os acalmou, ao contrário. Entraram aos trancos e gritando:

— Henrique, onde estão armas?

— E os documentos?

— Cadê o dinheiro? Mostra o dinheiro!

— Quem mais está aqui?

— Preciso dos celulares. Me dê todos os celulares, rápido.

As perguntas e ordens se sucediam sem respiro, e eu não tinha nenhum tempo para respondê-las. Ou sequer para refletir sobre o que pediam ou perguntavam.

Um deles era franzino e um pouco menor. O outro era forte e truculento. Calculei terem entre 27/28 e 35 anos. Depois eu viria a saber que o mais franzino era delegado. O outro, um agente. O mais forte carregava uma metralhadora. Seu olhar e seus gestos emitiam um recado claro: estava pronto para atirar no inimigo. Ou, no mínimo, bater, se fosse o caso.

O inimigo ali era eu. E, para eles, naquele momento, eu era um bandido ameaçador. Pronto para ser abatido.

O grupo bufava de forma nervosa e, poucos segundos depois de entrarem, ainda enquanto faziam uma pergunta atrás da outra, entraram mais três pessoas — uma mulher e outros dois agentes.

Tentando manter o controle emocional, mas com o coração já saindo pela boca, pedi-lhes novamente que mantivessem a calma, pois eu precisava entender melhor o que estava acontecendo.

— Essa é uma operação de busca e apreensão — o delegado me explicou, com um tom um pouco menos brutal que aquele do início. – Precisamos de suas armas, dinheiro, documentos e celulares.

Me apressei em reforçar o pedido de calma:

– Fiquem tranquilos, não tenho a menor intenção de atrapalhar o trabalho de vocês. Só não precisam me tratar dessa forma. Não sou um bandido e entregarei tudo o que for preciso de forma pacífica.

Eles me olhavam com ceticismo. Continuei:

– Não há necessidade de ficar apontando essa arma pra mim. Não tenho arma em casa e qualquer bem de valor vai ser apresentado a vocês. Só peço calma.

Eu estava tão atordoado que nem sequer pedi para ver o documento do mandado. Só fui vê-lo de fato no final da apreensão. Até ali eu não sabia se se tratava de uma operação de prisão, de condução coercitiva ou de busca e apreensão, como de fato foi.

Quando pareciam que caminhariam para realizar o trabalho com mais calma, ouvimos um barulho vindo do meu quarto. Era minha esposa, levantando-se para ver a gritaria de perto. Tudo parecia longo demais, mas haviam se passado apenas alguns poucos minutos.

A tensão voltava à tona.

– Que barulho é esse? Quem você está escondendo? Tem mais alguém em casa? – perguntou um deles.

Expliquei que era minha esposa. Ela, felizmente, era minha única companhia naquele dia, pois, por felicidade do destino, nenhum dos nossos quatro filhos estava em casa.

A explicação, porém, não surtiu muito efeito. Depois de me ouvir, o agente saiu apressadamente pelo corredor dos quartos, aos gritos:

– Quem está aí?

Vanessa respondeu:

– Estou trocando de roupa e usando meu banheiro. Quem está perguntando?

O desespero era tanto que só deu tempo mesmo de colocar um roupão e sair o mais rápido possível.

Para buscar uma solução rápida para aquela gritaria, intervim na conversa. Disse a Vanessa que havia agentes da Polícia Federal em casa. Pedi-lhe para se trocar e sair assim que possível. O mais rápido que pudesse. Em seguida, reafirmei ao delegado:

– Peço calma, por favor. Não somos bandidos, não vamos causar dificuldade – pontuei, ressaltando em seguida que era obrigação deles tratarem qualquer cidadão de forma respeitosa e educada. Aquela maneira ofensiva era totalmente desnecessária.

Mesmo assim, o delegado insistiu, grosseiramente, que ela saísse logo do banheiro. Deu ordens para a imediata apreensão do telefone celular da minha esposa. E, por fim, me informou que apreenderia todos os equipamentos existentes no apartamento. Mesmo aqueles que não fossem meus.

– Onde está o celular? Os computadores? Os *pen drives*? – perguntou.

– Eu tenho o meu celular. Mas ele é meu – ela respondeu, com firmeza.

– Não importa – retrucou o delegado. – Estão apreendidos quaisquer aparelhos eletrônicos que estiverem dentro desta casa.

– Isso não faz o menor sentido, eu tenho minhas coisas pessoais – reagiu Vanessa.

– Entrega logo tudo antes que eu tome mais providências – endureceu o delegado.

Nesse momento, resolvi intervir de novo. Pedi que reduzisse o tom, pois entregaríamos tudo o que quisessem. Em seguida, pedi à minha esposa que entregasse o seu aparelho também.

– Ainda bem – respondeu o delegado, aliviado. Mas não inteiramente satisfeito. – Preciso de todas as senhas também. Quais são as senhas de cada celular?

Pegamos um papel e anotamos todas as senhas de acesso de ambos os celulares.

Aquilo me parecia algo claramente abusivo. Mas eram as ordens.

Tive a sensação, em alguns momentos, de que pareciam estar drogados. Não estavam, mas se mostravam excessivamente pilhados. A adrenalina era muito grande.

Aos poucos, os ânimos foram se acalmando. Depois dos agentes, ainda apareceu também um promotor do Ministério do Público – este, um pouco mais velho, entre quarenta e cinquenta anos. Eles se acalmaram conforme viram que não tínhamos armas em casa, nem nos oporíamos a mostrar tudo. Oferecemos-lhes água e lanche. Mostramos as gavetas. E assim, diante de nossa atitude colaborativa, eles próprios passaram a se sentir mais seguros.

O próprio delegado chegou a pedir desculpas. Contou depois que toda ação de busca e apreensão é sempre bastante tensa, razão pela qual eles agiam dez tons acima do que qualquer um estaria acostumado. A truculência era a regra, até segunda ordem.

– Já enfrentamos situações em que um cara do outro lado da porta saiu atirando – explicou o delegado. – Logo, a gente nunca sabe o que vai de fato encontrar. A gente precisa então estar preparado pro pior.

O relato foi razoavelmente esclarecedor para mim, que definitivamente não estava acostumado à liturgia dessas operações policiais. E muito menos me imaginei sendo alvo de uma delas. Mas não apaga o exagero das ações e reações, afinal, mesmo diante da nossa clara disposição em ajudar, eles permaneciam excessivamente pilhados.

Policiais precisam aprender a lidar com os momentos de tensão, que fazem parte da rotina. Ações incertas e segredos fazem parte do cotidiano de muitos deles.

O delegado me contou que, em geral, eles não sabem ao certo o que farão. São convocados a estarem na sede da Polícia Federal às quatro horas da manhã. Às vezes passam a noite confinados. A partir daí, são informados dos endereços onde precisarão estar. Ou seja, só têm conhecimento da missão em cima da hora. E, invariavelmente, grupos distintos são informados sem saber que diversos endereços (e quais) fazem parte da mesma operação.

Na rotina da Polícia Federal, a instituição pode deflagrar uma operação apenas para coletar mais provas, sem necessariamente prender pessoas. A prática é feita por meio de mandados de busca e apreensão. Com eles, agentes podem entrar em residências, escritórios e empresas para apreender itens como documentos, notas fiscais, celulares, computadores ou quaisquer outros bens que a polícia julgue importante levar.

Eu não sabia naquela manhã, mas, no meu caso, foram três buscas: minha residência, meu escritório em São Bernardo do Campo e a casa da minha ex-mulher – algo surpreendente para mim, pois estávamos separados havia seis anos! Até o delegado se constrangeu ao saber disso:

– Nossa, que coisa chata – resumiu.

Busquei demonstrar compreensão com aquilo tudo, mas sem deixar de expor minha insatisfação com o jeito desnecessariamente incisivo e truculento. Mas, depois do sentimento de que estava ali como alvo de agressão excessiva, baixei a guarda. Não deve ser fácil também para eles.

❖ ❖ ❖

Em momentos difíceis é que é possível conhecer melhor as pessoas. Aquele 1º de julho de 2016 foi especialmente educativo para mim. Foi ali que percebi a nobreza de minha esposa, que, mesmo passando por um dos piores traumas de nossas vidas, portou-se de maneira serena. Com seu olhar para mim, demonstrava que queria me matar naquela hora – de raiva, decepção, frustração. Por outro lado, no calor da situação, e depois do momento de maior tensão, fez de tudo para minimizar o impacto daquela situação. Vanessa se segurou de uma forma especial, o que fez com que os agentes inclusive pedissem desculpas ao final dos trabalhos.

Foram horas pavorosas e intermináveis. Da chegada violenta às seis da manhã até por volta das onze horas, quando eles deixaram meu apartamento, passamos por um momento traumático. Os policiais abriram rigorosamente todas as gavetas de todos os quartos. Retiraram todas as roupas, inclusive as íntimas, como cuecas, calcinhas, pijamas. Mexeram nos ternos. Abriram as camas. Avançaram sobre cofres e até mesmo geladeiras. Vistoriaram os carros e os armários. Vasculharam os livros e os relatórios. Com agilidade, mas sem pressa, fizeram uma grande devassa no meu apartamento. Invadiram a vida pessoal de nossa família – mesmo meus filhos não estando em casa, seus quartos foram profundamente mexidos e analisados. Não deixaram um centímetro da casa imune.

Com o perdão do clichê, me vi em uma cena cinematográfica, daquelas saídas de filmes policiais. Emocionantes, intensas, apavorantes.

Vanessa deixou o apartamento antes dos policiais.

– Conversamos melhor à noite – ela me avisou.

Quando eles foram embora, tomei um banho e segui para o meu escritório, que fica no bairro Vila Olímpia, na zona sul de São Paulo. Ali o delegado e os agentes apareceram por volta das treze horas. Foi uma visita mais tranquila do que o rompante da manhã. Pareceram mais gentis, e também mais cansados. Eu não tinha o que esconder e compartilhei um contrato que lhes interessaria. Colocaram tudo dentro de um envelope pardo, tipo malote, aquele costumeiramente usado em bancos e empresas que fazem transporte de arquivos importantes. Lacraram e partiram.

Para minha sorte, se é que se pode falar em sorte diante de uma situação daquelas, era uma sexta-feira. O fim de semana a seguir me ajudaria a me recompor, ou pelo menos reduzir o altíssimo grau de ansiedade. Estava assustado. Quando uma coisa dessas acontece, a sensação ao andar na rua é de que todos o reconhecem. Seu rosto e seu nome estão nos jornais e nas páginas da internet – e não pelos motivos mais nobres. Meu prédio foi filmado e fotografado. A sensação de julgamento e condenação pública é imediata e clara.

Ao longo do dia, conversei com meus filhos por telefone. Os dois filhos de Vanessa são os mais velhos; os meus, os mais novos. Conversei primeiro com os de Vanessa, que estavam em São Paulo. Pedi a eles que me apoiassem e confiassem em mim. Eu iria resolver da melhor forma possível. Meus erros, prometi-lhes, não iriam contaminá-los. Todos os quatro reagiram bem. Tiveram seus traumas. Conviveram com as sequelas naturais do caso, mas me apoiaram e seguiram a vida adiante. Com firmeza.

De volta a casa, naquela sexta-feira, Vanessa foi positiva e companheira, porém, bastante dura. Sem medir palavras, disse-me:

– Se você tiver intenção de fazer algo errado, a gente se separa agora mesmo.

Mas demonstrou apoio e se manteve firme e serena. Naquele dia. No fim de semana. Nos meses e anos seguintes.

❖ ❖ ❖

Episódios assim deixam marcas severas no coração e na mente de alguém que não nasceu para ser criminoso. Depois daquela data, até hoje, todos os dias em que estou em São Paulo acordo às seis horas da manhã – o mesmo horário em que fui acordado com gritos e truculência atrás da porta.

Invariavelmente desperto, olho o relógio do celular e escuto as batidas na porta do apartamento. Passados vários anos, continuo com a lembrança daquele dia traumatizante. Daqueles momentos de tensão e pavor. Daquela sensação de impotência, deflagrada pela ordem de um juiz – no caso, um ministro do Supremo Tribunal Federal (STF), Teori Zavascki, atendendo a um pedido do então procurador-geral da República, Rodrigo Janot.

Com uma simples assinatura, Teori conseguiu virar minha vida do avesso, de um dia para o outro. Mais duro é saber que isso foi feito sem nenhum pedido prévio. Com um documento oficial, eu teria dado todas as informações de que precisavam. Bastava terem pedido, bem antes de mais uma operação espetaculosa que se espalhava país afora e envolvia diversas frentes. Mas, na dúvida, em se tratando de operações especiais e sigilosas, as atitudes daquele momento, certas ou não, eram tratadas de forma truculenta e na surdina.

Com tal rito, não importam os meios, e sim os fins. Todos éramos tratados como culpados por liminar. No fim, talvez eu compreenda que estavam desempenhando suas funções, mas, ao meu ver, a forma de atuação poderia ser diferente, já que a qualquer momento eu teria tido, como tive de fato, total desejo de colaborar com as investigações. O fato se consumou, mas as dores e cicatrizes serão eternas.

Admito: jamais serei a mesma pessoa após aquele 1º de julho de 2016. Acordar diariamente com o mesmo susto, como se repetisse aquele mesmo pesadelo todas as manhãs, é e continuará a ser a maior das minhas penas. É duro sentir a dor de ver sua companheira desolada e sua intimidade exposta violenta e aleatoriamente. Constatar a dignidade de minha família sendo questionada, como se todos fossem culpados pelos meus atos.

A sociedade costuma ser impiedosa nesses casos, e, por mais que eu me defenda, estarei condenado desde aquela indesejada visita. Ali, do dia para a noite, tudo o que já fiz de bom virou pó.

Mas reafirmo: fiz muitas coisas boas, mesmo sendo lembrado por esse episódio que levou policiais a minha casa. Por essa razão resolvi contar a história do maior empreendimento de que já participei – e comecei a história justamente com essa grande e radical guinada de minha vida.

2

Viagem expressa: da lavoura para as estradas, do interior para a cidade dos negócios

Minha família veio do interior de Minas Gerais – Patrocínio, no meio do cerrado do Triângulo Mineiro. A cidade foi passagem dos bandeirantes, que fizeram do local um ponto de abastecimento. Meu pai, Constantino de Oliveira, mais conhecido como Nenê Constantino, o Sr. Nenê, nasceu ali em 8 de agosto de 1931. Filho de comerciantes e fazendeiros da região, ele foi o penúltimo filho de cinco homens, meus tios José, Ildeu, Joaquim Filho e Paulo. Perdeu a mãe prematuramente, aos sete anos de idade, e foi criado por seu pai, o rigorosíssimo Sr. Joaquim. Sim, meu avô era conhecido tanto por ser chamado de "velho Jequitibá" quanto pela dureza e força bruta dos seus modos.

O Constantino de nosso nome familiar vem de uma situação curiosa. Consta que meu avô, filho de meus bisavôs, Constantino Antônio de Oliveira e Ana Maria de Jesus, foi se autorregistrar no cartório da cidade de Patrocínio, no alto de seus sete anos de idade, e quando o tabelião perguntou seu nome, ele respondeu: "Joaquim". Sendo prontamente questionado pelo sobrenome, ele completou: "filho do Constantino". Já sem paciência com a demora, o tabelião resolveu então escrever na certidão o nome do meu avô como Joaquim Constantino. E foi assim que o nome do meu bisavô virou o meu sobrenome.

Homem forte com quase dois metros de altura, meu avô era uma figura singular, tanto por estar fora dos padrões físicos do Brasil quanto pelos gestos rudes. Na sua casa não tinha jeito: a cultura se baseava na máxima "Filho não discute com o pai; obedece". Era fazendeiro, uma fazenda antiga e pequena, a partir da qual abriu um armazém para vender o que produzia.

A criação rígida do "velho Jequitibá" certamente moldou Nenê. A mesma rigidez ele usou no convívio com os filhos. Tanto que até hoje, ao cumprimentá-lo, eu e meus irmãos pedimos bênção ao meu pai, beijando sua mão. Mas foi assim, naquele ambiente sem mãe e com pai duro e forte, que Nenê começou a trabalhar. E o fez bastante novo, imediatamente após a morte da mãe. Com aqueles meros sete anos de idade, percorria a cidade vendendo as verduras produzidas na fazenda do pai. Também ajudava na lavoura.

Mas cedo descobriu que seu negócio era outro. Não gostava de vender, queria mesmo era comprar. Por isso, em 1949, aos dezoito anos, comprou o primeiro caminhão, com seu nome caprichosamente pintado na boleia e um ditado enigmático no para-choque: "Da vida só levarei ela". Fez sua estreia nas estradas como caminhoneiro, ao lado do seu irmão mais velho, o finado tio Zezé – ambos sempre a serviço do armazém do "velho Jequitibá".

Como caminhoneiro, Nenê levava uma vida interessante, porém bastante sofrida. A família ficava sem ter notícias deles por muitos e muitos dias. Comprava sacos de pães e um monte de linguiça defumada para economizar dinheiro na viagem, e também para se precaver, pois não existiam muitos postos de abastecimento e alimentação no caminho. Os atuais postos de estrada que conhecemos eram raríssimos naquela época.

Certa vez, ele me contou que parou num lugar para dormir e resolveu comer no restaurante da pousada. Só tinha buchada de bode, com cheiro insuportável. Passou mal. Em outra ocasião, dirigia um caminhão que lhe exigia rodar uma manivela para girar o motor. Ao rodar uma vez, a manivela voltou e quebrou seu queixo em quarenta pedaços.

Seu trabalho era levar mercadorias para armazéns, especialmente de São Paulo. Anos depois, visitando armazéns no Brás e no Bexiga, em São Paulo, ele me contou como vendia "queijo estragado" para os italianos. Gorgonzola, como eles chamavam.

– Quanto mais fediam, mais eles gostavam – divertia-se. – Queijo bom era para todos. Queijo forte e ruim era só para os italianos.

Um desvio do destino fez com que o caminhoneiro Nenê resolvesse mudar o seu meio de vida para o transporte de passageiros. Já naquela época, olhando muito além dos para-brisas empoeirados, ele fez o caminhão virar jardineira. Tudo aconteceu quando pegou uma carga de manteiga com destino a Recife, em Pernambuco.

Naquele trajeto, todas as dificuldades possíveis e imagináveis aconteceram. Estamos falando de meados dos anos 1950, quando praticamente todas as estradas brasileiras ainda eram de terra. Uma viagem ao Nordeste demorava vários e intermináveis dias, ainda mais se o caminhão ficasse preso no atoleiro diversas vezes ao longo da rota. Quando isso acontecia, o caminhão precisava ser descarregado. Depois, tirava-se o veículo do local do atoleiro, para em seguida ser carregado novamente. E assim seguia viagem. A saga chegava a durar inacreditáveis três semanas.

Até hoje me pergunto como eles refrigeravam a manteiga sem derretê-la, já que naquela época não havia veículos refrigerados. Meu pai me explicou diversas vezes a técnica de posicionar a lona de uma forma que o ar entrasse e resfriasse a carga. O ar entrava numa espécie de funil criado pelo posicionamento da lona. E a saída de ar mais rápida permitia o resfriamento da manteiga. Nunca entendi direito, e talvez o leitor também não entenda. Mas o fato é que sempre fiquei impressionado com a capacidade das pessoas de encontrar suas próprias soluções, quase sempre criativas, para enfrentarem as piores condições. Porém, mesmo com toda essa técnica, parte da carga era perdida pelo longo período de exposição ao calor. Não era nada fácil.

Voltando àquela viagem a Recife, meu pai entregou a carga no destino combinado e recebeu o valor do seu frete. Perguntou então ao seu contato em Pernambuco o que tinha para levar na viagem de volta ao Sudeste. A resposta foi surpreendente:

– Gente.

Isso mesmo. Gente.

– Basta você colocar umas madeiras na traseira do caminhão e várias pessoas irão junto – sugeriu o interlocutor pernambucano.

E assim foi feito. As madeiras, no caso, eram tábuas que serviriam de assento. Meu pai colocou um papelão na traseira do caminho e escreveu: "Rio e São Paulo". E assim transformou o caminhão no popularmente conhecido "Pau de Arara". Era o famoso improviso para substituir os ônibus convencionais, muito caros na época. Nele instalava-se também uma lona como cobertura, para proteger os passageiros das intempéries da viagem.

Os paus de arara, como se sabe, foram bastante usados durante a migração de nordestinos para o Sul do país, especialmente para São Paulo. (Não à toa, o músico Luiz Gonzaga, ele próprio um imigrante nordestino, compôs a canção "Pau de Arara", na qual retrata a peregrinação de seus conterrâneos.)

O fato é que rapidamente o caminhão do meu pai estava lotado de pessoas na carroceria. O negócio de transportar "gente" mostrou-se lucrativo: ele acabaria arrecadando o dobro do valor do frete de ida. Mas não só isso. Além de o rendimento ter sido maior, a viagem demorou a metade do tempo. A razão? Quando se repetiam os atoleiros no meio do caminho, todas as pessoas desciam e ajudavam a desatolar. Nada melhor para a viagem do que aquela solidariedade coletiva. E mais: os passageiros entravam sozinhos, saíam sozinhos e ainda faziam pagamento antecipado.

Nenê não teve dúvida. Aquele negócio de transportar pessoas poderia ser muito melhor para a sua vida. E assim ele começou o que é hoje o negócio de transporte de passageiros.

Mas chegou a essa conclusão com uma convicção adicional: aquilo não era jeito de transportar pessoas. Se sobrava solidariedade e esperança daqueles migrantes em busca de uma vida melhor na cidade grande, faltava o mínimo de conforto e dignidade na viagem. Ele tratou de dar uma qualidade àquele modelo.

Nascia o negócio das jardineiras no interior de Minas.

❖ ❖ ❖

Áurea, minha mãe, a segunda filha mais velha de oito irmãos, nasceu em Coromandel, também em Minas Gerais, no dia 10 de abril de 1935 – quase quatro anos, portanto, depois do meu pai. Coromandel era cidade vizinha a Patrocínio. Não se sabe bem a origem do nome, mas credita-se à costa de Coromandel, na Índia, de onde teriam partido navios carregados com escravos.

Sempre muito religiosa e estudiosa, minha mãe foi uma das professoras mais queridas da escola onde lecionava no ensino fundamental (ou escola primária, como era classificada na época). Dona Áurea – ou Aurinha, como muitos a chamam – sempre foi dedicada à família. Queria ter doze filhos. E realmente chegou a ter doze gestações, porém, cinco dessas não vingaram, como se diz no interior. No final das contas, gerou e criou sete filhos. Por ordem de idade: Aurivania, Auristela, Ricardo, Joaquim, Cristiane, Júnior e Henrique.

Ela é uma mãe muito participativa e, no fundo, esteio da família. Sempre conseguiu manter a ordem e é o pilar central de nossa harmonia. Juntou sua incrível capacidade de escrever, calcular e se comunicar com a vontade de crescer e desbravar novos caminhos do meu pai. E, assim, tornaram-se um casal vencedor, mesmo nos momentos de maior dificuldade, algo comum a todas as famílias de qualquer lugar. No início dos negócios familiares, ela cuidava da casa, dos filhos, lecionava na escola pública e ainda administrava as finanças e a contabilidade da empresa.

Áurea e Nenê sempre foram, e ainda são, um casal de lutadores, no bom sentido dessa palavra. Eram trabalhadores incansáveis.

Em 1957, ano em que se casaram, criaram a Expresso União, a primeira empresa de ônibus da família. A sede ficava na cidade de Patrocínio. Protagonizavam ali um feito inédito, algo que muitos haviam tentado sem sucesso: a Expresso União estabelecia a partir dali a primeira linha de ônibus que, de fato, ligava Patrocínio a Belo Horizonte. A linha saía de Patrocínio a Araguari e de Araguari para a capital mineira.

Como contaria a repórter Thaís Oyama muitos anos depois, em perfil do meu pai publicado na revista Veja, todos os antecessores foram vencidos, em poucos meses, pela precariedade da estrada. Puro buraco na época da seca, as estradas se dissolviam como mingau no período das chuvas. Os carros levavam até três dias para chegar ao destino – quando não retornavam no meio do caminho.

Tanto que, já com a jardineira operando, na hora de marcarem a data do casamento, ambos colocaram apenas "outubro" no convite. Isso mesmo, apenas o mês, sem dia pré-definido. Eles não conseguiam precisar que dia o meu pai estaria de volta de viagem. O dia exato foi colocado à mão no convite quase na véspera do casamento.

Com um negócio fadado ao fracasso, como havia acontecido com todos os antecessores, Nenê teimou. Se no início tinha apenas um ônibus, logo comprou outros, a prazo. Lançou os carros na lama e fez com que seus motoristas – e ele próprio – seguissem para a capital prontos para a batalha na estrada. Pilhas de enxadas, machados e foices, além de cestos repletos de correias, molas e outras peças de reposição integravam o arsenal de viagem. Eles seguiam preparados para o pior e acabavam chegando.

A Expresso União nasceu em cores laranja, azul e branco, inspirada nos tons do uniforme que Nenê enxergava na juventude ao ver a então normalista e futura esposa passear pela cidade. A empresa se transformaria num orgulho, com ônibus circulando por Minas, São Paulo, Rio de Janeiro, Tocantins e Goiás.

Os negócios cresceram até que eles se mudaram para Brasília. Corria o ano de 1977 quando meu pai decidiu comprar a Viação Pioneira, na época já uma pequena potência na capital federal, com uma frota de quase 240 ônibus de linhas urbanas. Em quinze anos essa frota seria quintuplicada.

Foi uma grande mudança para a família e uma boa oportunidade de crescimento para os filhos. Inaugurada em abril de 1960, a capital federal nem sequer tinha completado a maioridade. Dávamos os primeiros – e grandes – passos para uma cidade ainda em formação.

❖ ❖ ❖

Eu tinha cinco anos de idade quando nos mudamos para Brasília. Tenho boas lembranças ao ser criado numa cidade planejada e bem-estruturada, que me ajudou bastante em minha formação. Tenho até hoje enorme carinho e amigos ali, onde pude passar uma juventude criativa, num período brilhante de nossa cultura, principalmente musical.

Foi em Brasília que atravessei os anos finais do regime militar. Disciplinado e austero, acompanhei as discussões sobre as Diretas Já, movimento que buscava o direito às eleições livres, populares e integrais, assisti à promulgação da Constituição Federal de 1988 e vi de perto a retomada e consolidação da democracia, entre tantos eventos relevantes de nossa história.

Brasília trouxe-me muitas experiências que ajudaram a ser o que sou hoje. Toda a vida política e legislativa de Brasília direcionou meus pensamentos para decidir o que faria na faculdade, por isso resolvi fazer o curso de direito – afinal, boa parte dos melhores profissionais do país nessa área estava no Distrito Federal. Achava interessante a disputa entre duas partes. Identifiquei-me com aquela atividade e, especialmente, com o ambiente da capital, que envolvia os tribunais superiores, o STF, o Congresso Nacional, toda aquela função organizacional e política que faz parte da rotina de Brasília. Tinha curiosidade de experimentar e me aprofundar naquele ambiente.

Eu também observava, com interesse, o meu pai discutindo diariamente com os seus advogados. Ele enfrentou uma disputa societária por mais de dez anos. Diariamente ligava para os advogados, que não resolviam o caso. Eu via seu nervosismo. Na época, fazer telefonemas interurbanos depois das oito da noite era mais barato – e ele seguia esse ritual religiosamente. Ligava sempre depois do horário de pico. Terminado o jantar, eu já esperava vê-lo e ouvi-lo aos gritos com os advogados.

Foi também por meio do curso de direito que outra mudança aconteceu no destino da família.

Era uma sexta-feira. Estávamos no final do ano de 1993. Tarde da noite, já passavam das dez horas e eu estudava no escritório de minha casa. Foi quando meu pai passou pelo corredor para ir dormir. Ele me viu ao redor de um monte de papéis e estranhou, afinal, eu tinha o hábito de sair para baladas com meus amigos nos fins de semana.

– Você não vai sair hoje? – quis saber.

– Hoje, não – respondi. – Preciso estudar, tenho de entregar este processo para o diretório acadêmico da faculdade até segunda-feira.

Eu fazia estágio na escola, lidando com casos reais, para aprender como funcionava um processo.

– E esse monte de papel? Deve ser um processo importante, com tantas folhas assim – meu pai comentou, entre curioso e intrigado.

Pior que não, expliquei-lhe. Era uma disputa de família na qual três irmãos herdeiros de pai e mãe que haviam morrido num acidente de carro estavam disputando a herança: duas pequenas salas comerciais no centro de Taguatinga, cidade-satélite de Brasília.

Meu pai quis saber o que eu recomendava para eles.

– Estou recomendando que desistam da disputa, pois a dívida de impostos, condomínio, água e luz desses bens durante esses dez anos de disputa é maior do que o valor dos imóveis.

Ele coçou a cabeça e saiu andando, pensativo. Nada mais disse além do tradicional:

– Boa noite, meu filho.

Fiquei curioso com a cara que ele fez, mas estava tão focado no meu trabalho que nem liguei. Também não disse mais nada além da resposta habitual:

– Boa noite, pai.

No dia seguinte, um sábado, ele me procurou para conversar e me perguntou se uma divisão dos negócios ainda vivo era possível. Respondi que era incomum, mas bastante possível. Mais do que isso, achava ser a melhor forma de fazer uma transição menos complicada, pois poderia ser mais bem controlada pelo cedente.

Ele agradeceu mais uma vez e saiu pensativo, com a cabeça baixa.

❖ ❖ ❖

Passaram-se quatro meses dessa nossa conversa. O dia estava anoitecendo naquele 16 de janeiro de 1994 quando recebi uma ligação do meu pai. Ele estava em São Paulo.

– Preciso de sua ajuda. Problema nas empresas – resumiu, pedindo assim para eu pegar o primeiro avião no dia seguinte para ajudá-lo.

Cumpri a promessa e nunca mais voltei para a minha rotina de Brasília.

O problema em questão era a divisão e venda dos seus negócios ainda em vida, exatamente a questão que o intrigara meses antes. Ele decidira dividir e vender todos os negócios para os filhos.

E, assim, eu e meus três irmãos homens fomos escalados para assumir os negócios que ficavam em São Paulo, enquanto minhas duas irmãs assumiriam os negócios de Brasília. Minha irmã mais velha permaneceria onde estava, no interior de São Paulo.

Após a aquisição da empresa em Brasília, quando nos mudamos em 1977, meu pai possuía alguns ativos empresariais espalhados pelo Brasil. Além da Expresso União, fundada por ele vinte anos antes, já tinha negócios na área de transportes de passageiros na cidade de Maringá, no Paraná, em Salvador, na Bahia, e no interior de São Paulo, em Presidente Prudente, todas essas empresas em sociedade com parentes e amigos. Somente a empresa de Brasília e a Expresso União eram 100% de propriedade dele.

Depois disso, fez diversos movimentos de aquisições, sendo um em Araçatuba (SP), em 1979, outro em Araraquara, em 1981, mais um em Campinas, em 1984, e diversas sociedades no município de São Paulo e na região metropolitana, principalmente no ABC paulista, Vale do Paraíba e na Baixada Santista. Expandiu seus negócios pelos estados do Rio de Janeiro e do Paraná, desbravando seu ofício de transportar pessoas.

Desenvolveu bastante os negócios na área de ônibus, com diversas sociedades, até tomar a decisão, naquele início de verão de 1994, de dividir os negócios entre os filhos. Na época, já possuía uma vasta quantidade de empresas no ramo de transportes de passageiros, e algumas empresas de logística em menor quantidade. Era conhecido com um dos maiores empresários do ramo naquele período.

Os negócios de Brasília estavam consolidados, sem dívidas, sem problemas a resolver. Já os de São Paulo eram um abacaxi a descascar, uma bomba a ser desarmada. Tratava-se de uma operação mais complexa, mais difícil, espalhada por diferentes cidades e ainda pouco consolidada. A missão dos irmãos homens não seria fácil.

O destino mais uma vez mudou totalmente de direção, e troquei minha vida já estabelecida em Brasília, numa empresa estável e bem organizada, para uma nova empreitada com vários sócios, uma empresa menos estável e endividada numa cidade como São Paulo, grande e complexa, que eu visitara no máximo três vezes até aquela data.

Quando cheguei a São Paulo, em nosso escritório à beira da rodovia Fernão Dias, na cidade de Guarulhos, meu pai me disse:

– Preciso que você cuide do financeiro das empresas por aqui.

Questionei:

– Por quê? Temos algum problema em especial?

– Estamos extremamente endividados e precisamos estabelecer um controle austero de nossos pagamentos – ele me alertou.

Sem entender muito o que estava acontecendo, pois não tinha a menor noção do que de fato ocorria, insisti:

– Qual a nossa dívida?

– Duzentos milhões – ele respondeu, com frieza.

Perguntei mais uma vez, e ele confirmou. Então ponderei:

– Duzentos milhões de cruzeiros reais? Isso é fácil de ser resolvido. Não é muita coisa. Foi por isso que me chamaram?

Meus irmãos Joaquim, Ricardo e Júnior acompanhavam a conversa. Meu pai me olhou bravo.

– São duzentos milhões de dólares!

Ao ouvir, quase caí de costas. A cotação da época era algo em torno de quatrocentos para um. Ou seja, a dívida, na verdade, era de oitocentos bilhões de cruzeiros reais – numa época em que a inflação galopava ao redor de 40% ao mês. Chegara ao fim do ano anterior na marca de 900% ao ano. Era um período um tanto complicado para a economia brasileira. Somente em julho de 1994 seria lançado o lendário Plano Real, até hoje reconhecido como um dos grandes fatores para a estabilidade da moeda do país.

Ao tomar conhecimento daquele número, fiquei mais assustado. Prossegui a conversa:

— Esse valor inclui todas as empresas das quais o senhor é acionista, certo? De quanto é a dívida das empresas 100% controladas pelo senhor?

Ele respondeu:

— Não. Esse valor é só das empresas de São Paulo que eu controlo. As sociedades devem mais duzentos milhões.

Me assustei de vez. Naquela época, o valor significava quase três anos de faturamento das empresas. Tecnicamente elas estavam quebradas, daí minha decepção. Eu acabara de sair de Brasília para enfrentar esse verdadeiro *tsunami* na minha carreira.

Começava ali o primeiro grande desafio de minha vida, no compasso dos meus recém-completados 22 anos de idade. Tinha o apoio sólido dos meus pais e a companhia animadora dos meus irmãos. Passamos os três primeiros anos em São Paulo morando juntos, numa união bastante intensa. Mas também seriam anos difíceis, de muito trabalho e imensos desafios. Mais do que isso, estava certo de que iria encarar um ambiente totalmente novo e hostil para um mineiro do interior, criado na grande e ao mesmo tempo pequena cidade de Brasília.

❖ ❖ ❖

Nenhum de nós titubearia. Eu, muito menos, com a audácia da juventude. Mas, por mais obstinado que fosse, minha experiência e capacidade de enfrentar grandes desafios era bastante limitada. Eu não tinha o conhecimento nem a bagagem suficiente para sair do meu espaço a fim de enfrentar o maior mercado do Brasil.

De qualquer forma, me esforcei demais para não decepcionar os meus pais, que tinham dado um grande voto de confiança ao promover aquela divisão dos negócios familiares ainda em vida. Um gesto corajoso de pais que acreditam na capacidade do poder do trabalho, e confiam que seus filhos nunca os deixarão abandonados, pois eles nos passaram tudo o que construíram por mais de quarenta anos de intensa dedicação. Nada mais justo do que retribuir com a mesma dedicação, o que aumentava ainda mais a nossa responsabilidade e o nosso compromisso.

E assim começava nossa maior empreitada empresarial.

3

Voando alto

Assim começava a nossa nova jornada empresarial. Agora eu estava em São Paulo, sem entender muito o que acontecia de fato, mas pronto para trabalhar. Não havia me formado ainda na faculdade de direito, faltava cumprir o último semestre. Minha rotina parecia insana: entre a noite de segunda-feira e a manhã de sexta-feira eu ficava em Brasília, trabalhando à distância nas empresas de São Paulo e, à noite, assistindo às últimas aulas do direito. Chegava a São Paulo no primeiro voo da sexta-feira e trabalhava sem parar até o final da tarde de segunda-feira, quando voltava a Brasília para cumprir meus compromissos acadêmicos.

Foi um período estressante. Demasiadamente estressante. Mas de muito aprendizado.

O mais interessante naquele momento foi entender a decisão de divisão dos negócios dos meus pais. Eles estavam saindo de tudo o que haviam construído. Quando questionei meu pai por que eu precisaria largar minha vida já estabelecida em Brasília pelo pesado trabalho na capital paulista, recebi uma curta resposta:

– Porque é assim que eu quero.

Assim era meu pai.

Diante daquela firme decisão, minha resposta foi típica de filho do interior:

– Ok, vamos nessa.

Somos sete irmãos, como já contei. Mas sempre repeti que, na condição de filho mais novo, o caçulinha da família, jamais sobrou tempo para meus pais cuidarem de mim. Costumo dizer que ficava esquecido no quarto, enquanto ninguém se lembrava se mim.

– Quando o Henrique era pequeno, ele era tão bonzinho que nós até nos esquecíamos dele, pois ficava várias horas brincando sozinho no seu quarto – minha mãe repetia para minha esposa, em tom de brincadeira, mas com a força da realidade.

Eu me acostumei a ouvir algumas máximas sobre a formação de famílias. O primeiro filho, diz uma delas, é sempre o mais cuidado; todos ficam babando, fazem lembrancinhas, escrevem cartas e diários, descrevem na agenda cada evolução da criança. Quando o segundo filho nasce, já cuidamos um pouco menos, deixando-o um pouco mais à vontade e menos paparicado. Quando chega o terceiro, nós o entregamos ao mundo.

Quando escuto máximas como essas, fico me imaginando largado – se o terceiro é entregue ao mundo, o que dirá do sétimo...

Brincadeiras à parte, na verdade meus pais sempre cuidaram bastante de mim, mas ao mesmo tempo deram-me bastante liberdade para me desenvolver sozinho – sempre supervisionado, mas com uma possibilidade de aprimorar minhas habilidades por minha própria conta.

Naquela recém-iniciada etapa em solo paulistano, nosso desafio então estava traçado. Teríamos que assumir as empresas e corresponder à confiança dos pais em nossa capacidade de continuar o seu legado. Éramos e somos bastante ligados e afinados, com cada um respeitando a individualidade dos outros, o que sempre nos ajudou a manter uma convivência sem traumas. Cada um com sua característica e forma distinta de agir.

Ricardo, o mais velho, sempre foi o mais quieto, menos ousado e mais comedido. Cuidou da área de suprimentos e enfrentou de forma parceira nossos desafios. Sempre foi um bom companheiro e alguém extremamente participativo na tomada de decisões. Jamais rejeitou nenhum projeto novo.

Joaquim, o segundo irmão, é o mais comerciante dos quatro homens. Herdou a capacidade de fazer negócios do pai, sempre pensando em comprar e vender. Tem facilidade para se comunicar e participar das rodas de bate-papo de motoristas e mecânicos, respira óleo diesel e circula no meio rodoviário com maestria. Conhece cada palmo das estradas e cidades deste país.

Júnior, o terceiro irmão, sempre foi o mais sedutor, mais político e mais comunicativo. Com uma impressionante habilidade no mundo da velocidade, é um excelente piloto de carros de corrida e piloto de aviões. Usa seu charme para conquistar as pessoas e com isso acaba fazendo prevalecer suas opiniões.

O fato é que, como tenho irmãos que exibem sedução e capacidade nata de fazer negócios, fiquei com pouco espaço para me estabelecer. Nunca tive, a bem da verdade, nenhuma dessas habilidades de forma natural. Diante disso, desde criança, fui o filho mais estudioso e dedicado na escola. Sabia que, se não me destacasse pelo conhecimento, jamais conseguiria um lugar relevante na família. Por isso, sempre tive uma atitude de aluno exemplar, bastante organizado e com atenção às explicações dos professores. Meus cadernos de anotações costumavam ser objeto de desejo dos desesperados alunos que precisavam dos resumos das matérias para as provas.

Tamanho esforço me credenciou a ser a referência acadêmica da família. Após me formar em direito pelo Centro Universitário de Brasília (CEUB), fiz pós-graduação (não concluída) em administração pela Fundação Getulio Vargas (FGV) em São Paulo, estudando à noite e nos fins de semana para conseguir aprimorar minha capacidade de gestão. Eu tinha uma convicção: precisava me destacar de alguma forma para garantir o meu espaço nas empresas.

Com a formação diferenciada e complementar desse quarteto, assumimos o desafio de manter o projeto de empreendedorismo de meus pais no transporte terrestre. Éramos novatos em São Paulo, e nem todos os empresários nos recebiam de braços abertos. Pelo contrário, alguns até nos ignoravam. O Joaquim já estava na cidade havia alguns anos, mas não tínhamos naquela época a mesma relevância que temos hoje, e mesmo no mercado de transporte terrestre não éramos vistos com ampla simpatia.

Muitos nos consideravam "forasteiros". Forasteiros e inexperientes. O clima era de desconfiança absoluta. Para completar, todos muito novos. Eu, como disse, com mal completados 22 anos. Meu irmão mais velho tinha trinta.

Passamos a ser denominados pela maioria dos empresários como "o grupo dos mineiros", que operavam em diversas localidades, incluindo a capital paulista. Não seria a única vez que enfrentaríamos a desconfiança pela inexperiência num setor econômico e na vida. Teríamos recepção similar, anos depois, ao embarcarmos no negócio da aviação.

Alguns nos olhavam como intrusos. Por isso, durante os primeiros seis anos de sociedade, reduzimos sócios, negociamos dívidas, vendemos empresas em cidades onde não tínhamos boa *performance*, compramos operações sinérgicas e organizamos nossos negócios para podermos crescer de forma estruturada.

Eu, pessoalmente, renegociei todos os contratos bancários, reduzindo juros e alongando prazos de pagamentos. Em alguns casos, houve inclusive devolução de valores já pagos, pois conferi, junto com uma empresa de auditoria, todos os contratos pagos nos cinco anos anteriores, e apareceram pagamentos efetuados que eram maiores do que o previsto contratualmente. Tivemos também créditos tributários de impostos pagos a mais. Foi um trabalho hercúleo para mostrar nossa seriedade e nosso propósito, e, dessa forma, conseguimos colocar nossas finanças em dia. Um aprendizado muito importante para as futuras etapas de minha vida.

A dedicação diuturna foi fundamental para a nossa virada de mesa. Essa mínima estabilidade financeira nos capacitou para mostrar que podíamos ser mais do que empresários de ônibus. Podíamos ser reconhecidos como grandes operadores de mobilidade, seja qual fosse o modal de transporte: terrestre, ferroviário ou aéreo.

Cabe ressaltar que até hoje nossa operação terrestre é tão importante para nós quanto a operação aérea, e motivo de grande orgulho para o quarteto de irmãos. Nossa missão de unir pessoas estava estabelecida.

Foi após esse trabalho de arrumação que decidimos assumir o maior projeto de nossas vidas. Após a estabilização econômica do Plano Real e as novas políticas expansionistas do governo Fernando Henrique Cardoso, começaram os processos de desregulamentação de alguns setores da economia. Dentre esses, um setor nos interessava bastante: o setor aéreo. Vindo das estradas, meu pai era um entusiasta especial de nossa entrada nessa área. Aquilo nos contaminou.

Depois de vários anos de um sistema com diversas barreiras de entrada, o Ministério da Defesa, que na época comandava o Departamento de Aviação Civil, conhecido como DAC, resolveu liberar a operação de mais companhias aéreas no Brasil, com um menor e mais acessível pacote de regras de implementação de serviços aéreos regulares no âmbito nacional. Não havia mais restrições nem de cidades atendidas nem de tipos de aeronave. Somente era necessário comprovar a capacidade financeira e um plano de implementação viável para se tornar uma empresa aérea.

Aquilo era tudo o que precisávamos.

Nós já havíamos tentado comprar a Vasp no passado. Na época de sua privatização, em 1990, Fernando Collor de Mello era o presidente da República; Orestes Quércia, o governador de São Paulo. Estatal pertencente ao estado de São Paulo, a Vasp sempre foi considerada um exemplo de gestão ruinosa desde antes da privatização, quando operava com prejuízo de US$ 30 milhões e devia US$ 750 milhões. O governo de São Paulo decidira vender suas ações com a promessa de que, em mãos privadas, a companhia se salvaria.

Ocorre que, na época do leilão, recebemos um recado do governo federal solicitando que não participássemos da concorrência. Assim mesmo, sem dar muitos detalhes. O empresário Wagner Canhedo, como a história informa, levou a companhia. Mais tarde a imprensa creditaria isso aos vínculos de Canhedo com PC Farias, o homem forte de Collor.

Depois desse episódio, avaliamos outra companhia aérea também em crise, a Transbrasil. Não conseguimos avançar nas negociações. Os números da Transbrasil se mostravam absolutamente inviáveis.

Buscamos estudar a abertura de uma empresa nova, mas o nível de exigências estabelecidas pelo DAC não abria espaço para viabilidade de qualquer novo projeto. As regras eram minuciosamente concebidas para inibir o surgimento de novos concorrentes no mercado. Previa-se, por exemplo, que qualquer empresa que começasse a operar precisaria atender pelo menos quinze diferentes cidades ao mesmo tempo.

A proteção era forte àquelas empresas existentes, incluindo a Varig, a Vasp e a Transbrasil – todas elas em crise. Era uma reserva de mercado explícita.

Sem falar que o plano de negócios apresentado poderia ficar meses engavetado, oficialmente sob análise, até chegar a resposta – um "não" sem muita justificativa. Tudo muito burocrático e pouco amigável.

A chegada de Fernando Henrique Cardoso à Presidência da República, juntamente com sua agenda de reformas liberalizantes, mudaria o horizonte. O governo pretendia abrir o mercado para a concorrência, numa posição de estímulo a novos empreendedores, sem proteção ou barreiras.

O então ministro da Defesa, Geraldo Quintão, avisava:

– Vamos desregulamentar o setor aéreo.

A promessa foi cumprida. O governo resolveu liberar os preços e passou a permitir mais facilidade para o início da operação de uma nova companhia aérea. No lugar daquelas exigências mínimas de quinze cidades, agora seria possível operar com um avião e dois destinos. Apenas.

As empresas aéreas não só estavam em crise financeira pesada como também ingressavam na Justiça em busca de reparação pelos sucessivos congelamentos de preços passados. A concorrência era baixa, constatou o governo. A desregulamentação devolveria ao mercado uma mínima concorrência capaz de melhorar a oferta.

Essa nova postura nos habilitou a destacarmos uma verba para preparar um plano de negócios. Após alguns meses de estudos, decidimos que iríamos partir para a execução. Meu irmão Júnior foi destacado para ficar exclusivamente no projeto, e todas as suas atribuições nas empresas de transporte terrestre foram redistribuídas entre os outros três irmãos.

O modelo pensado era o mesmo que dera certo na Europa e nos Estados Unidos: o chamado *low cost, low fare*. Em bom português: baixo custo, baixo preço. Resolvemos segui-lo. Serviço modesto, política de custos reduzidos, altíssima utilização de aeronaves (planejávamos começar a operar com apenas quatro), simplicidade nas vendas e a possibilidade de cobrar tarifas cerca de 30% mais baratas.

Separamos um valor bem reduzido para o tamanho do projeto, mas era o que tínhamos disponível na época. Foram apenas R$ 500 mil para fazermos os projetos de implantação da empresa aérea, algo singelo pela magnitude dos nossos anseios. Após definirmos esse modelo, fomos atrás de diversos empréstimos bancários para arrumar o capital de R$ 20 milhões para iniciarmos as operações. Não tínhamos esse recurso, mas assumimos o compromisso de vender nossas casas se fosse necessário para colocar essa empresa em pé.

O Júnior começou então a formar uma equipe de projeto para buscarmos a melhor concepção de negócio e assim realizar um velho sonho de meu pai – que sempre nos incentivou a implantar uma empresa aérea, como já contei. Esse trabalho começou em meados do ano 2000. A equipe, minúscula, se reunia na rua Helena, no bairro Vila Olímpia, zona sul de São Paulo. O grupo não passava de dez pessoas. Envolvia representantes das áreas de *marketing*, do comercial, tecnologia, engenharia, além de mim e dos meus irmãos. Meu pai participava às vezes de algumas reuniões.

O primeiro passo foi o registro na Junta Comercial de São Paulo, em 1º de agosto daquele ano – por coincidência, o mesmo mês de nascimento do meu pai e do Júnior, o primeiro presidente da empresa e ainda hoje o presidente do Conselho de Administração.

Com a empresa registrada, o plano de negócios aprovado pelo DAC e o capital social necessário, começamos os trabalhos para que, em cinco meses, estivéssemos com toda a equipe de profissionais contratados, treinados e com as aeronaves prontas para realizarmos o primeiro voo da empresa.

Fato curioso do registro da empresa foi termos tido a informação da morosidade e do alto nível de exigência do DAC na autorização do estatuto social de uma nova empresa de transporte aéreo. Esse era um requisito legal para que o documento societário fosse registrado na Junta Comercial. Chegaram a minha mesa diversas propostas de escritórios para esse serviço, que, além do valor alto para nossos modestos orçamentos, tinham prazos longos de execução. Como não tínhamos nem recursos financeiros, nem tempo para a execução dessa etapa, resolvi arriscar e fazer um estatuto social muito parecido com o da última empresa a conseguir esse registro no DAC, que no caso era o da TAM. Ajustei nossa redação de forma quase similar à deles, fiz isso junto com o nosso contador da época, e juntos fomos ao DAC demonstrar que estávamos fazendo quase uma cópia daquilo que o órgão tinha recentemente aprovado. Isso deu certo, pois eles não tinham como negar, afinal de contas, o documento societário era público. Pelo menos nisso a TAM nos ajudou.

❖ ❖ ❖

A data especial aconteceria em 15 de janeiro de 2001.

Foram os cinco meses mais intensos e ansiosos de nossas vidas. Durante esse período, o coração entrava e saía do peito várias vezes. A pressão era muito forte para não perdermos nenhum dia. Quanto mais o início da operação demorava, mais caro o projeto custaria, e não tínhamos recursos para suportar nenhum deslize. Foram os primeiros meses do que hoje representam os quase vinte anos de evolução da empresa. A história estava apenas no começo, e muita coisa ainda aconteceria pela frente.

4

Monossilábico, fácil de memorizar e brasileiro

Registramos a nova empresa, como escrevi, em 1º de agosto de 2000. Faltou dizer o essencial: o registro na Junta Comercial de São Paulo se dava como Gol Transportes Aéreos S.A. A ideia, infelizmente, não foi minha, mas gostei logo no início. Para mim, era um nome maravilhoso e adequado aos propósitos da empresa e do projeto: simples, fácil de ser falado em qualquer língua e que traduzia a ideia de uma meta a alcançar. Era algo universal.

Naqueles insanos meses antes do primeiro voo, enquanto nascia o projeto e definíamos as rotas que iríamos operar, passamos pelo processo de escolha da razão social. Precisávamos de um nome forte, curto, de preferência monossilábico, que não fosse uma sigla, como a maioria das empresas existentes no Brasil. Desse modo, seria possível ser escrito nas aeronaves em tamanho grande e fácil de ser falado em qualquer língua. O último requisito: ter um sentido positivo.

Buscávamos um nome com sentido de vitória. Atingir o objetivo. Buscar o alvo. Fazer um gol.

A equipe pensou nisso em diversas reuniões, e algumas vezes o nome Gol surgiu na mesa. Mas não foi aprovado definitivamente naquelas discussões.

Ele esbarrava num limitador: a lembrança do veículo fabricado pela montadora de automóveis Volkswagen. Era um carro populariíssimo na época.

O nome, porém, foi ganhando força a cada reunião. Certo dia, tivemos um almoço de família num fim de semana, na casa dos meus pais, na Península dos Ministros, no Lago Sul, em Brasília. Não era uma reunião de trabalho, muito menos um almoço de negócios. Era, sim, um almoço típico dos encontros regulares de família que promovíamos na casa dos meus pais.

Ao fim do almoço, como de hábito, os homens sentaram-se num canto, e as mulheres em outro – típica divisão dos almoços mineiros. Eu e meus três irmãos conversamos com o meu pai, e o Júnior mencionou os estudos que estavam sendo feitos e a busca de um nome como Gol.

Todos se entreolharam. Por que não Gol de fato? Aquele nome sintetizava como nenhum outro a ideia de atingir a meta, alcançar o resultado, acertar o alvo, fazer um gol. Além disso, era bem brasileiro, já que faz referência ao esporte mais popular do país, e ainda exibia a facilidade de ser citado em qualquer língua.

E assim nasceu a GOL. Juntamente com a equipe de *marketing*, o Júnior definiu o *slogan* que qualificou ainda mais a marca da empresa: *Gol: Linhas Aéreas Inteligentes*. Afinal de contas, nossa proposta sempre foi criar algo novo, fácil, acessível e, por isso mesmo, inteligente.

Antes da definição do nome, porém, havia um espírito sendo sedimentado – o modelo de negócios ancorado no sucesso alcançado por algumas companhias aéreas norte-americanas e, sobretudo, europeias. Era o modelo *low cost*, cujo princípio básico era a simplificação dos custos operacionais.

O modelo partia de conceitos mais modernos e diferentes dos praticados pelas empresas aéreas tradicionais: venda pela internet, embarque rápido, sem muita frescura, sem bilhetes de passagens impressas, com um serviço de bordo bastante básico, a busca da máxima utilização das aeronaves e a tentativa de criar uma relação mais próxima com os clientes, com uma linguagem mais cotidiana. E, o mais importante, por meio dessa grande redução de custos, reduziríamos as tarifas praticadas, gerando uma alta ocupação dos voos e, assim, estimulando ainda mais a demanda.

Era o que hoje chamamos de "Efeito Gol". Com ele criava-se um círculo virtuoso e conseguíamos cumprir o nosso objetivo de democratizar o transporte aéreo no Brasil.

Com o modelo definido, começamos a formação da equipe. O Júnior seria o presidente e o verdadeiro comandante do projeto. Ele juntou um grupo inicial de pessoas, que depois comporiam as diretorias e as vice-presidências.

Estávamos no momento certo e na hora certa. O Brasil vivera os anos iniciais do Plano Real ancorado em taxa de câmbio controlada artificialmente pelo governo. Era a chamada âncora cambial. Com ela, manipulava-se a cotação do dólar na paridade *um real, um dólar*, com dois propósitos claros: primeiro, reduzir o preço dos produtos importados; segundo, com a redução dos preços dos importados, forçar competição com os similares nacionais, impedindo que os empresários reajustassem seus produtos.

A âncora cambial cairia em janeiro de 1999, quando o governo decidiu promover a desvalorização do real em 8,26%, criando em seguida o câmbio flutuante – agora não mais controlado artificialmente pelas autoridades monetárias. O efeito sobre um setor fortemente influenciado pela moeda estrangeira foi imediato.

A taxa de câmbio do dólar dobrou de preço, e as rotas internacionais das companhias aéreas brasileiras ficaram inviáveis, o que fez com que principalmente Vasp e Transbrasil disponibilizassem no mercado diversos engenheiros, diretores e comandantes com larga experiência de operação. Portanto, a mão de obra especializada, sempre um gargalo nesse setor, visto que se trata de uma formação bastante qualificada e, por isso mesmo, demorada, estava disponível para ser absorvida imediatamente e numa quantidade farta para uma nova operação como a nossa.

Precisávamos então definir as aeronaves, que era o outro grande gargalo da implantação de uma nova companhia aérea. O mercado *low cost* exigia uma aeronave com tamanho de médio porte, com uma escala de assentos que gerasse um custo baixo de operação, facilidade de mão de obra e alto índice de disponibilidade para voar até quatorze horas por dia, com baixo custo de manutenção e bem testada e aprovada pelo mercado.

Com essas características sobraram dois fabricantes de aeronaves: a Boeing e a Airbus. Na época, a fabricante brasileira Embraer só produzia aeronaves de baixa densidade, com capacidade máxima de cinquenta passageiros. Portanto, com o Custo Operacional por Assento Disponível por Quilômetro (o chamado CASK) mais alto e incompatível com o modelo de negócios que pretendíamos implantar. Era um período bem ativo no mercado mundial, e havia poucas aeronaves disponíveis para serem alugadas, numa escassez de ativos. No mercado sul-americano, a TAM, junto com Taca e LAN, tinha acabado de fechar um grande pedido conjunto com a Airbus. Enquanto isso, as grandes operadoras de Boeing da região estavam em crise, como Varig, Transbrasil, Vasp, Aerolíneas Argentinas e Avianca.

Em outras palavras, enquanto a fabricante europeia crescia, a norte-americana estava em declínio na região. De um modo geral, todos os arrendadores de aeronave estavam nos olhando torto, pois éramos alguns garotos entre 28 e 36 anos tentando abrir uma companhia aérea num mercado em crise, e, apesar do nosso bom histórico no mercado rodoviário de passageiros, parecíamos ser mais um grupo de aventureiros querendo experimentar o fascinante mercado da aviação.

A Boeing nos informou depois que recebe em média cem pedidos por ano de novas empresas aéreas no mundo – normalmente apenas dez começam efetivamente a voar e somente duas passam pelo segundo ano de operação. Ou seja, aquilo de fato parecia ser uma agulha num palheiro.

Havia, no entanto, uma conspiração dos astros a nosso favor. Uma empresa aérea alemã quebrou, a Germanwings, o que possibilitou que conseguíssemos, por meio da Boeing Capital, o arrendamento de quatro aeronaves 737 de nova geração, e em ótimas condições de operação. Dessa forma, juntamente com outras duas aeronaves do mesmo modelo arrendadas de outra empresa de *leasing*, montamos a nossa frota inicial de seis aeronaves, começando a nossa história de sucesso com a fabricante norte-americana.

Com o nome definido, modelo de negócio arredondado, equipe formada e frota disponível, estávamos prontos para começar o jogo.

❖ ❖ ❖

Contando assim, parece fácil. Não foi. Primeiro: era um tempo curto demais para colocar as aeronaves no ar e fazer a companhia aérea literalmente decolar. Segundo: nos deparamos em vários momentos com a possibilidade de os aviões não chegarem a tempo. Eles chegaram no final de dezembro, todos pintados de branco. Com o primeiro voo marcado para ocorrer em janeiro, é possível imaginar o tamanho da tensão.

Até a véspera, tentávamos ligar nosso sistema com as operadoras de telefonia. Até poucos dias antes, o governo insistia para que adotássemos o sistema tradicional de impressão de passagens – contrário a todo o desenho imaginado para a nova companhia aérea e um dos símbolos máximos do *low cost*. Até que aproveitamos uma reunião do Conselho Nacional de Política Fazendária (Confaz), o conselho que reúne secretários de Fazenda de todos os estados da federação, para garantir a autorização de venda de passagens sem emissão de bilhetes. Era obrigatório que tivéssemos a autorização de todos os estados.

Foi a primeira vez que o Confaz aprovava algo totalmente eletrônico – a reunião ocorreu no fim de novembro, portanto, menos de dois meses antes do nosso primeiro voo. Um sufoco.

De fato, enfrentamos ventos favoráveis – fatores externos como o câmbio, o preço do petróleo e os problemas da concorrência. Mas muita gente achou que não iríamos decolar. Ou, se decolássemos, logo iríamos cair. Não poucos apostavam que destruiríamos a empresa em pouco tempo, ou que o nosso modelo não vingaria no Brasil – diziam que, sem conexão internacional, o mercado doméstico, sozinho, não iria gerar demanda suficiente para a GOL. Também sugeriam que nossos preços eram irreais. Suspeitavam de nossa capacidade de sobrevivência.

"Companhia área não é empresa de ônibus", cansamos de escutar, frase seguida invariavelmente do seu complemento: "Esse pessoal pode entender de ônibus, mas não de aviação".

A desconfiança repetia o padrão constatado em nossa chegada a São Paulo – a reação ressabiada diante do jovem grupo dos mineiros. Estávamos acostumados àquilo. O jogo era pesado, mas seguimos em frente.

Nosso esforço estava direcionado para o lançamento da companhia aérea. Participei com o Júnior da escolha da agência de publicidade que coordenaria a campanha. Realizamos reuniões com agências de peso, como a Fischer e a Almap. Acabamos fechando com a DPZ, fundada em São Paulo muitas décadas antes por Roberto Duailibi, Ronald Persichetti, José Zaragoza e Francesc Petit, o diretor de criação que trabalhou diretamente na conceituação e execução da campanha de lançamento da GOL. É dele a ideia dos elos que formam a logomarca da GOL, sólida até hoje.

A rodada de *briefings* e reuniões com as agências gerou alguns episódios pitorescos. Uma delas sugeriu mudar o nome da companhia aérea – isso com todo o modelo de negócios, toda a estrutura de comunicação e *marketing* pensados com esse nome, o laranja definido como cor e tudo o mais.

Em outra agência, um dos sócios, casado com uma celebridade, chegou sem ter lido o *briefing* – ou leu e não prestou atenção. Resultado: começou a reunião nos informando que só viajava de primeira classe, que gostava de muito conforto, sala vip e sofisticação numa companhia aérea. Ou seja, o exato oposto do nosso modelo, de baixo custo, simplicidade e atendimento sem fru-fru. A equipe dele demonstrava constrangimento a cada novo adjetivo sofisticado que o tal sócio mencionava – enquanto a própria apresentação da agência revelava o inverso do que ele dizia. Para completar, a esposa-celebridade o interrompia a cada cinco minutos. Rimos muito depois, apesar do tempo perdido.

Investimos R$ 6 milhões na campanha de *marketing* – ela consumia quase metade de todo o nosso orçamento de lançamento da companhia aérea. Era uma campanha maciça e emocionante, com mídia televisiva nos intervalos do *Jornal Nacional*, de telenovelas, do *Big Brother Brasil*. Em paralelo, muitas entrevistas, palestras, participação em debates – todos querendo saber da novidade. Júnior virou a cara da empresa, participava de todos os eventos. Ele, que já tinha um incrível poder de comunicação e sedução, treinou enormemente e arrasou. Colocamos a empresa em todos os veículos, em todos os assuntos, em todas as pautas.

Ficamos conhecidos nacionalmente muito mais rapidamente do que imaginávamos. A GOL decolava para valer.

5

Chegou a hora e a vez do Chiquinho

O ano prometia. E, para nós, começaria efetivamente em 15 de janeiro, data agendada para o primeiro voo e para a nossa entrada definitiva no mercado brasileiro de aviação. Não foi sem muita emoção, bastante correria e alguma turbulência.

Na véspera, nossos balcões de aeroporto ainda estavam sendo instalados. Tínhamos várias equipes de montagem espalhadas pelo Brasil. Os sistemas de embarque, reservas e vendas ainda estavam sendo testados e validados. As equipes de aeroporto, operação e manutenção estavam em treinamento, mas preparadas para começar os trabalhos na manhã seguinte.

Quando o pessoal das administradoras de aeroportos via as obras sendo realizadas e nos perguntava quando iríamos começar a voar de verdade, olhava-se entre o espanto e a reprovação ao ouvir a singela resposta:

– Amanhã!

Parecia difícil acreditar. Mais do que isso, nos chamavam de loucos e irresponsáveis.

De qualquer forma, estávamos com o cronograma todo traçado e tudo dentro do prazo. Claro que tínhamos um sentimento de apreensão acumulado com ansiedade, mas não nos faltava convicção de que tudo daria certo. Apesar dos prazos apertados, estava tudo dentro do combinado. Com bastante emoção, sim, mas com responsabilidade e conhecimento de nossas obrigações.

Dias antes, uma reportagem do jornal *Folha de S. Paulo* anunciava: "Passageiro troca ônibus por avião". Citava o exemplo da cabeleireira piauiense Maria dos Remédios, trinta anos, acostumada a ir de ônibus de São Paulo para Teresina visitar a família. A partir dali, escrevia a repórter Margarete Magalhães, ela trocaria "as 48 horas de sofrimento" por um voo que duraria três horas.

Aquele era um novo movimento, instaurado pela GOL e embarcado por outras companhias aéreas, como Nacional, Fly Linhas Aéreas, Via Brasil e a Rotatur, do Grupo Varig. Hoje, pouco menos de vinte anos depois, somente a GOL prossegue suas atividades – e na liderança do mercado.

Naquele 14 de janeiro de 2001, organizamos um evento no aeroporto Juscelino Kubistchek, em Brasília, de onde sairia o primeiro voo no dia seguinte. Na verdade, usamos uma área da enorme instalação dos Correios, ao lado do aeroporto, com entrada separada e acesso por fora, por onde faríamos uma apresentação pública da GOL, incluindo principalmente pessoas que nunca haviam, até ali, entrado num avião.

A Infraero chegou a tentar fechar o evento, sob o argumento de que atrapalharia a segurança aeroportuária. Mas insistimos muito para que deixássemos os populares entrarem. E assim aconteceu. Fechamos a porta da cabine do comandante, mas o restante da aeronave estava liberado. Era uma forma de divulgar a empresa de maneira espontânea. Não houve convites endereçados às autoridades. Não houve autoridades, para falar a verdade. Nem queríamos que houvesse.

Queríamos gente, isso sim, afinal, nossa meta era popularizar o transporte aéreo. E queríamos o cardeal arcebispo da cidade abençoando aquela aeronave e abrindo passagem para o nosso novo empreendimento. Cearense da cidade de Ererê, dom José Freire Falcão foi dar sua benção numa de nossas aeronaves. Seria um evento de poucas pessoas.

Seria. O que aconteceu na prática foi uma multidão embarcando naquela visitação. Até hoje não sei como aquilo ocorreu, mas o fato é que, de boca em boca, correu a informação de que uma aeronave estaria aberta a visitas – muita gente que nunca havia entrado num avião teria uma oportunidade dupla: naquele evento e, depois, na possibilidade de viajar graças aos preços acessíveis.

Quase todos daquela multidão carregavam máquinas fotográficas – estamos falando de vinte anos atrás, num tempo de poucos celulares, praticamente nenhum *smartphone* e nada de *selfies*.

Haveria cinco voos de Brasília para São Paulo. Nos horários de pico, a passagem custaria R$ 199. No horário do almoço, R$ 149. O voo Congonhas-Galeão (RJ), por exemplo, com cinco frequências diárias, custava R$ 79 nos horários menos disputados e R$ 99 nos de pico. Para se ter uma ideia do que aquilo significava, praticávamos preços até 60% mais baixos do que a concorrência. É algo como se hoje uma tarifa cobrada pela principal concorrente ficasse na casa de R$ 1.000, enquanto a GOL vendia a R$ 200 ou R$ 250. Uma diferença absurdamente significativa.

Nossa tarifa máxima era, em boa parte dos casos, inferior às taxas promocionais das demais empresas aéreas – TAM, Varig, Vasp e Transbrasil. Estas tinham número limitado de assentos destinados às tarifas promocionais, enquanto a GOL praticava preços mais baixos em todas as categorias tarifárias.

Parecia inevitável despertar a curiosidade, o que enlouqueceu os seguranças do aeroporto. Mas foi emocionante ver aquela multidão se acotovelando, educadamente, para ter o direito a conhecer de perto um avião – no caso, o Boeing 737–700, de 144 assentos.

Dom Falcão fez questão de passar em cada poltrona da aeronave. Minha mãe, como religiosa que é, acompanhou do começo ao fim. Era um domingo ensolarado e extremamente quente, mas um domingo com cara de dia normal de trabalho. Não só pelo número de pessoas circulando, mas também porque os funcionários da GOL, igualmente empolgados como seus diretores e passageiros com o nosso lançamento, fizeram questão de ir trabalhar. Mesmo aqueles que estavam de folga.

Enquanto isso, os trabalhos de *backoffice* continuavam a pleno vapor. Nosso sistema de vendas estava no ar havia quinze dias. Os ajustes finais eram concluídos. Corríamos, como disse, para finalizar as obras das instalações nos aeroportos. Tudo se passava muito rapidamente, e a ansiedade pelo primeiro voo aumentava a cada segundo. Nossa campanha de lançamento estava pronta.

Com exatos sessenta segundos, um filme publicitário se espalharia pelas TVs a partir do dia seguinte, nos horários mais nobres e atraentes. Nas imagens, retoques finais nas aeronaves, tela de computador com o sistema de compras *online*, um aeroporto se preparando para a decolagem, comandantes e comissários fazendo os ajustes nas roupas.

Os uniformes, diga-se, eram simples e modernos, atributos da personalidade da nova companhia aérea. Ricardo Almeida criou a roupa dos comandantes, e Glória Coelho, a dos comissários e comissárias. Ambos os estilistas abraçaram a causa para pensar uniformes confortáveis, despojados e menos distantes das pessoas. Com as roupas, reafirmávamos nosso discurso: *fique relax; obrigado por estar aqui com a gente; estamos juntos; venham pra cá, pois somos acessíveis.*

Era tudo uma imensa novidade naquele janeiro de 2001, um ano que prometia. A canção composta para aquele primeiro comercial era vibrante. Dizia:

Está no ar
Chegou pra ficar
Chegou pra te conquistar
Chegou pra mudar
Pra te emocionar
Que bom ver você chegar

Viajar
Realizar
Um novo tempo no ar
Simplesmente inteligente
Venha voar com a gente
Vou com você nesse voo
Todo o Brasil pede Gol
Que bom que você chegou
Todo o Brasil pede Gol

O *slogan* arrematava a mensagem: *Gol: Linhas Aéreas Inteligentes*. A operação se tornava realidade.

No dia 15 de janeiro, às 6h40 da manhã, saiu o primeiro voo de Brasília para Congonhas, em São Paulo. A emoção estava estampada nos olhos dos atendentes de *check-in* e embarque, no sorriso dos comissários e comissárias de bordo e na sensação de satisfação de nossos comandantes.

Todos da família estávamos presentes naquele voo inaugural. Aliás, hoje aquela atitude seria impensável – uma regra familiar, instituída algum tempo depois, decidiria que não mais do que dois irmãos viajariam juntos num mesmo voo. Nem num ônibus. Nem mesmo em carro.

Mas o fato é que, naquele dia, exibíamos a alegria de criança, empolgados com os primeiros passos da vida da companhia aérea. Era um momento mágico, aliado a olhares desconfiados de alguns passageiros.

Houve episódios curiosos. Passageiros, e não necessariamente de primeira viagem, chegavam ao balcão de embarque e perguntavam:

– Cadê o bilhete?

– É este aí – respondia o comissário, ao apontar o pequeno papel de embarque, simples como um comprovante de cartão de débito retirado em maquininhas hoje muito populares, e entregue após o passageiro apresentar sua carteira de identidade.

Era uma marca para a companhia aérea que inaugurava a era da venda dos bilhetes eletrônicos. Isso num tempo de internet bem distante do alcance de hoje e, pior, discada. Mas precisava que alguém desbravasse aquele caminho. Simples e fácil assim.

– Só isso?! – o passageiro retrucava. – Vocês não precisam de mais nada?

A resposta era igualmente simples:

– Só isso. Tudo o que precisa está aí. O senhor (ou a senhora) pode se dirigir ao portão de embarque e apresentar esse papel. Boa viagem.

Sentíamos que, para aquele passageiro, o alívio só vinha mesmo ao chegar ao assento.

Em outro momento, naquele mesmo dia, alguém surgiu no balcão do *check-in* e avisou, confiante:

– Vim aqui falar com o Chiquinho.

– Como? – perguntou a comissária no atendimento.

– O Chiquinho – insistiu o passageiro. – Quando comprei o bilhete disseram para eu vir aqui falar com o Chiquinho. Cadê ele?

Depois de meia hora de dúvidas e intenso debate, descobrimos que o Chiquinho era, na verdade, o *check-in*. Sim, o *check-in* virou Chiquinho naquele mundo de novidade, desinformação e informalidade.

Ninguém parecia acreditar muito. No balcão ou na fila de embarque, tudo era mais descontraído e informal do que se estava acostumado. O imaginário e a realidade dos voos eram repletos de pompa e circunstância que, a partir dali, a GOL passava a abolir.

Onde estavam os enormes bilhetes que eram quase sinônimo de *status*? Onde estavam aqueles lenços enrolados no pescoço das popularmente chamadas aeromoças? (Hoje ninguém mais as chama assim, mas naquela época a expressão ainda era usual.) Mesmo naquele início de 2001, as concorrentes buscavam exatamente o contrário – mesmo decadentes, pareciam querer mais pompa e circunstância.

Não tínhamos nada disso. Mas o que tínhamos mesmo era a convicção de que estávamos inaugurando um novo tempo. Pusemos um broche discreto naqueles que informavam estar viajando pela primeira vez – era um modo de reconhecer que aqueles passageiros de primeira viagem precisavam de atenção; mais do que isso, mereciam mais atenção do que os demais.

Sempre buscamos tratar os novos viajantes de forma não só atenciosa como também carinhosa – a mais carinhosa possível. Sabíamos também que, ao romper a barreira da primeira viagem, aquele seria um caminho sem volta. Alguém que volta para o Nordeste para rever a família, trocando os longos e exaustivos dias numa viagem de ônibus pelas três horas de avião, não volta mais ao passado. Não deixa de viajar de avião. E, ainda hoje, basta se programar e comprar com antecedência que irá adquirir bilhetes em condições invejáveis.

❖ ❖ ❖

Se alguns se mostravam reticentes, a maioria estava mesmo era adorando toda aquela simplicidade e agilidade. Para nós, com o perdão do clichê, era o sonho, enfim, realizado.

O voo inaugural, na aeronave de prefixo PR–GOE, saiu sem atrasos, sob o comando do piloto David Barioni Neto. Ele era também o vice-presidente de Operações da empresa, na época com 25 anos de experiência na aviação.

Uma comissária anunciava "a frota mais jovem do Brasil". A viagem durou 1h27, com pouca turbulência, com pouso tranquilo em Congonhas. No percurso, foram servidos refrigerantes, água, barra de cereais e amendoim, pacote de serviço de bordo que se tornaria famoso nos anos seguintes.

Uma nova reportagem da *Folha*, publicada no dia seguinte, descreveria algumas das novidades. A começar por uma das comissárias – Talita Preschadt, 24 anos, era operadora de *marketing* em Santa Maria, no interior do

Rio Grande do Sul, quando mandou currículo para a GOL pela internet e foi selecionada. A reportagem descrevia:

> Além da falta do serviço de bordo tradicional, a linguagem usada pelas comissárias para fazer os anúncios de praxe pelo sistema de som também é diferente, mais coloquial – "não esqueçam as bagagens de mão, hein", "sentiremos saudades". Na versão em inglês, o tradicional *ladies and gentlemen* [senhoras e senhores] foi trocado por um informal "hi, folks" [oi, gente].

Aquela seria a primeira de muitas missões, como também são chamados tecnicamente os conhecidos voos. Naquele dia, cinco aeronaves começaram a operar entre São Paulo, Brasília, Rio de Janeiro, Florianópolis, Belo Horizonte, Salvador e Porto Alegre. No dia 15 iniciamos operações com os trechos envolvendo as capitais Brasília, São Paulo, Rio de Janeiro e Salvador. Dois dias depois começamos a operar em Porto Alegre e Florianópolis. No dia 19, iniciamos os voos para Belo Horizonte.

Naquela mesma semana, uma sexta aeronave começaria a voar. Acrescentamos mais um destino em nossa grade de horários, passando a voar também para a cidade de Curitiba, no Paraná.

Éramos pouco mais de seiscentos colaboradores sedentos por ver a companhia crescer. Felizes, esperançosos e incansáveis. Pouco nos importávamos com a cara de desprezo dos funcionários das empresas concorrentes, sempre nos espiando e cochichando entre si. Aquele era um momento só nosso, e ninguém, mesmo torcendo contra, estragaria nosso prazer. Pelo contrário, aquilo nos dava ainda mais gana para prestar um bom serviço e mostrar nosso valor. Estávamos focados em atender bem, mesmo sabendo das dificuldades normais de um início de operação, com sistemas novos de vendas, reserva e atendimento.

Enfrentamos deslizes pontuais. O sistema de reserva deixou de lançar um ou outro passageiro na hora da venda. Usamos uma tecnologia de grande sucesso na operação da Jet Blue, companhia aérea de *low cost* nos Estados Unidos, que se mostrou excelente para reservas e compras, mas que impunha grande dificuldade para o *backoffice*. Para um voo Brasília–Congonhas, ele corria muito bem. Mas causava alguma dor de cabeça quando se tratava de um voo de muitas conexões.

Houve outros pequenos problemas. Os aeroportos cobravam taxas de embarque em separado. Selinhos eram atrelados aos bilhetes, e alguns deles não estavam aceitando-os. Houve problemas no cartão de abastecimento – em Florianópolis, por exemplo, não queriam abastecer uma de nossas aeronaves devido a problemas com o nosso cadastro no sistema da Petrobras. Houve também alguma fila extra, com demora na liberação do embarque. E ficou evidente a falta de conhecimento sobre como o nosso sistema funcionava.

Recebemos algumas críticas no começo, mas rapidamente demos conta dos problemas e os resolvemos. Com dez a onze voos diários por aeronave, rapidamente fizemos tudo com grande naturalidade. Aliás, essa era uma das vantagens de nosso modelo. Com aeronaves de última geração e o propósito de otimizar ao máximo os ativos de que dispúnhamos, poderíamos fazer até quatorze voos, contra cinco ou seis voos das concorrentes. Se o custo do *leasing* era o mesmo se voássemos cinco ou cinquenta vezes, por que não explorar ao máximo a capacidade da aeronave, sempre mantendo os padrões mais rígidos de segurança? O retorno seria obviamente maior. E foi.

Tudo correu muito bem, no fim das contas. E aquele 15 de janeiro se mostrou um dia maravilhoso. E inesquecível.

6

Guerra nos céus e nos gabinetes do Brasil. E nas Torres Gêmeas de Nova York

A nova companhia aérea ganhou as manchetes de telejornais, rádios, revistas semanais e jornais regionais. Aquela era uma grande novidade para o país, ainda mais com o novo conceito em operação. Os executivos da empresa e, em especial, o presidente, Constantino Júnior, eram convidados a dar palestras, entrevistas e explicar os propósitos da GOL. Uma forte campanha promocional midiática foi iniciada, buscando demonstrar a chegada de uma nova era no mercado de aviação.

A curiosidade foi aumentando com o tempo e com as boas experiências vividas por quem utilizou os serviços. Os usuários pagaram mais barato pelo serviço e mostraram-se satisfeitos com o que foi entregue. Sobretudo nos voos mais curtos, ninguém se incomodou com a falta de um serviço de bordo com a habitual comida requentada dos voos domésticos.

Como dizia uma campanha na fase inicial da GOL, "aqui todo mundo pode voar". Refiro-me a um filme publicitário criado alguns anos depois pela agência AlmapBBDO, intitulado *Passarinho*. Em sessenta segundos, ele mostrava uma pequena ave entrando em um ônibus e viajando, enquanto corria a música "A dois passos do paraíso", que ficou famosa com a banda Blitz:

Longe de casa
Há mais de uma semana
A milhas e milhas distante
Do meu amor
Será que ela está me esperando?
Eu fico aqui sonhando
Voando alto, perto do céu

No fim, o locutor arrematava com o mote: "Por que viajar de outro jeito se você pode voar? Gol: aqui todo mundo pode voar". O resultado foi um Leão de Bronze no Festival de Cannes em 2006, e a celebração de um novo e democrático jeito de voar.

    A felicidade e a motivação da equipe aumentavam a cada dia que víamos a lotação dos voos crescendo gradativamente. Muitos colaboradores vinham das empresas que haviam reduzido as operações, principalmente Vasp e Transbrasil, e alguns estavam se sentindo fora do mercado e já buscando outras formas de vida e de trabalho. O surgimento da GOL permitia-lhes recompor seus sonhos profissionais. Era uma nova oportunidade em suas vidas.

    A aviação gera uma imensa quantidade de apaixonados, e poder voltar a trabalhar numa nova companhia, com um novo modelo operacional, mais moderno, cordial e participativo, era considerado um renascimento para muitos. A garra e a vontade da equipe contaminavam nosso ambiente de uma forma que nos sentíamos imbatíveis. Éramos um time recém-erguido do anonimato querendo ganhar o campeonato, e nossos jogadores demonstravam confiança para fazerem o maior número de gols possível.

    Encontramos um estímulo adicional, criado pelos nossos próprios concorrentes: o desdém e o menosprezo com que nos tratavam. Isso despertava um espírito ainda mais combativo e enérgico em nós, uma gana ainda maior de vencer. Aprendi que um verdadeiro líder, como diz o filósofo Mario Sergio Cortella, corrige sem ofender e orienta sem humilhar. A regra vale para a disputa de mercado. É possível enfrentar concorrentes sem ofender e sem humilhar. Esta é a verdadeira liderança: competente, eficaz, incansável, mas responsável e respeitosa.

O fato é que misturar confiança com vontade gera um poder quase intransponível em equipes de profissionais. E era exatamente esse sentimento que todos na GOL exalavam na empresa. Ver os nossos voos cheios e ouvir os comentários feitos majoritariamente de forma positiva gerava a cada dia uma maior satisfação de construir dias ainda melhores. Com toda a humildade necessária, nos sentimos as pessoas mais competentes e realizadas, apesar de saber que era apenas o início e que essa disputa comercial não seria tão simples.

No dia 29 de janeiro de 2001, duas semanas depois do nosso primeiro voo, a TAM lançou uma campanha de descontos de 50% nas passagens dos voos entre sete capitais: São Paulo (Guarulhos e Congonhas), Rio de Janeiro (Galeão), Brasília, Porto Alegre, Florianópolis, Belo Horizonte e Salvador. Curiosamente eram as sete capitais em que operávamos inicialmente. Uma reportagem na *Folha Online* naquele dia informava: "A companhia nega que a promoção seja motivada pela estreia da Gol Transportes Aéreos, que entrou no mercado este mês com as menores tarifas. A justificativa oficial é de que, com o início da baixa temporada, a empresa precisa garantir ocupação dos voos".

❖ ❖ ❖

Naquele ritmo, tomamos nosso primeiro susto já no segundo mês de operação. Misteriosamente, uma de nossas seis aeronaves teve um problema na ponte de embarque do aeroporto do Galeão, no Rio de Janeiro. O avião estava estacionado após o desembarque dos passageiros do voo anterior, e já pronto para o receber os clientes do voo seguinte. Foi quando, inesperadamente, a ponte de embarque começa a subir, levantando a aeronave pela porta que estava aberta. A porta ficou torta, e a bequilha saiu do chão (bequilha é o trem de pouso com as rodas dianteiras da aeronave). A aeronave ficou suspensa pela ponte de embarque.

Nossa tripulação técnica saiu correndo para entender o que estava acontecendo e tentar parar aquele movimento de força contra a porta. A equipe conseguiu então parar o motor que levantava a ponte, mas o estrago já estava feito: a porta estava totalmente torta, e por pouco não comprometeu a estrutura da aeronave.

A aeronave não podia ser operada, pois a porta não fechava. O reparo demoraria algumas semanas, pois precisávamos fazer uma revisão geral na estrutura.

Jamais conseguiríamos descobrir o que realmente aconteceu, pois a Infraero, que era a administradora daquele aeroporto, nunca nos deu acesso à investigação interna que foi oficialmente anunciada. Tão grave quanto é saber que o assunto jamais foi tratado de forma transparente, tendo sempre sido discutido de maneira misteriosa e excessivamente reservada.

Ficou evidente que o tema foi abafado pelas autoridades aeroportuárias. O DAC não pareceu querer permitir qualquer conversa sobre as investigações. Ministérios ligados ao setor não deram grande brecha. E, como empresa recém-chegada ao mercado, éramos dependentes da Infraero, que afinal administrava todos os aeroportos – e por ela passavam muitas decisões que nos afetavam cotidianamente. Entrar num embate com a estatal seria desastroso.

Resultado: o seguro do aeroporto foi acionado, e o assunto morreu. O seguro, porém, só pagou o dano da aeronave – ninguém contabilizou, por exemplo, os enormes danos à imagem da companhia.

A menos que alguém algum dia conte a verdade dos fatos, nunca saberemos se foi sabotagem ou um defeito do equipamento. Mas uma ponte de embarque como aquela não sobe sozinha. Não à toa foi o único caso do gênero em toda a história. E, se tiver sido sabotagem, nunca saberemos quem foi o responsável e o que motivou essa ação.

A vontade era ir lá brigar – e talvez fosse tudo o que os adversários desejavam. Mas não fomos. Tocamos a vida. Por sorte não houve nenhum dano maior além do material (descontando os danos imateriais, claro, em particular os custos de imagem).

Ninguém se machucou nessa situação, mas a aeronave não poderia operar enquanto não fosse consertada. Isso significava que 1/6 de nossa frota se mostrava inoperante. Pior: era véspera de Carnaval, e nossos voos estavam cheios. Como poderíamos passar nosso primeiro Carnaval de operação sem 16% de nossa capacidade, e com diversos voos com nada menos do que 100% de ocupação?

Estávamos diante da nossa primeira grande demonstração de superação. A equipe enfrentou aquele episódio de forma sensacional. Ninguém mediu esforços para diminuir o impacto daquela redução forçada de oferta. Conseguimos alugar uma aeronave da empresa BRA, que, mesmo sendo mais antiga que a nossa, cobraria um valor muito maior do que o de mercado. Mas era o que tínhamos disponível naquele momento, e não poderíamos deixar nossos clientes desassistidos em nosso primeiro desafio de grande demanda, no período de Carnaval. Fizemos um contrato emergencial, pagamos caro por isso, nos desdobramos para atender da melhor forma possível.

As cassandras, no entanto, agiram rapidamente, claro. Recebemos diversas críticas e menções de desconfiança. Concorrentes enviaram mensagens às agências de viagens mencionando os "aventureiros", os "amadores", os "inexperientes". Havia uma forte conspiração para nos difamar e tirar nossa credibilidade.

Nossos concorrentes usaram esse fato de forma intensa, na tentativa desesperada – e questionável – de criar um ambiente adverso à nossa entrada. O repertório era vasto e cruel. Nos chamavam de "ônibus no ar". "Avisavam" que a aviação era muito diferente do transporte terrestre e que, por essa razão, iríamos quebrar rapidamente. Diziam que estávamos em lua de mel com o consumidor, mas logo sucumbiríamos.

O episódio da ponte de embarque no Galeão não nos abalou. Pelo contrário, demonstrou que éramos habilidosos em situações adversas. Descobrimos ali que tínhamos capacidade de improviso mesmo nas piores situações. Mais do que nunca, estávamos prontos para enfrentar tudo o que pudesse vir pela frente.

Em maio de 2001, chegaria nossa sétima aeronave: um 737–700 novinho de fábrica. Ele incorporava novas tecnologias e refinamentos aerodinâmicos, além de novos motores mais potentes e econômicos. Foi com o 737–700 que, nos meses seguintes, abrimos mais mercados e ganhamos ainda mais musculatura. Com diversas encomendas, previstas para serem entregues até o ano seguinte, previamos ter dez aeronaves em operação. A meta foi conquistada.

Quanto mais crescíamos, mais nossos concorrentes nos batiam. Quanto mais eles nos batiam, mais nós crescíamos. Eu via aquilo tudo e enfrentava com firmeza, como meus irmãos. Acreditávamos num ditado popular aprendido ainda na infância: "Quem bate esquece, mas quem apanha jamais esquecerá".

Não posso confirmar, mas nada tira da minha cabeça que aquele acidente no Galeão não se deu por acaso. O jogo estava ficando sujo. As grandes operadoras nos acusavam de *dumping* – por definição de origem, o nome que se dá à prática de uma empresa vender seus produtos em outro território por um preço reduzido, em um nível que prejudica as empresas locais.

A acusação parecia totalmente sem sentido para uma companhia aérea que detinha apenas 5% do mercado e era agredida pelas demais concorrentes – aquelas que ocupavam os 95% restantes do mercado.

Nas reuniões de sindicato, éramos ignorados, principalmente por Ozires Silva, presidente da Varig, e pelo comandante Rolim, da TAM. Ambos se recusavam a nos cumprimentar. Nas reuniões que realizavam com agências de viagem, as empresas concorrentes nos boicotavam, dizendo aos agenciadores que pagariam prêmios extras em suas vendas caso se recusassem a continuar a venda de nossas passagens.

Varig e TAM já haviam chiado bastante para o DAC, por meio do sindicato que controlavam, quando medidas foram adotadas para estimular a concorrência – uma dessas medidas, por exemplo, definia que nenhuma companhia aérea poderia ter garantia sobre mais do que 37% dos horários de voo em um aeroporto. É o que as mais antigas tinham em Congonhas, por exemplo. No Santos Dumont, no Rio, tinham até mais.

No dia do primeiro voo da GOL, a conhecida colunista Mônica Bergamo chegou a noticiar: "Diante da reclamação [de companhias como Varig e TAM], o brigadeiro Venâncio Grossi, do DAC, ameaçou enquadrar todo mundo com a utilização da severa Lei do Direito Econômico. A intervenção de outras autoridades arrefeceu os ânimos".

Pressionavam também para que a GOL ficasse de fora dos aeroportos centrais em cidades como Rio e São Paulo – alegavam a necessidade de evitar congestionamentos nesses aeroportos.

A guerra estava declarada. Mas estávamos dispostos a enfrentá-la sempre da forma mais correta possível – ou seja, trabalhando diuturnamente para prestar excelentes serviços aos clientes, por um preço justo, que quase sempre era o menor do mercado. E isso acontecia por não termos os vícios e os passivos que os outros haviam acumulado no passado. Era um momento crucial para o nosso destino, e sabíamos das dificuldades que iríamos enfrentar. Isso com certeza foi mais um estímulo para nos esforçarmos ainda mais.

❖ ❖ ❖

Como escrevi antes, 2001 não seria um ano qualquer. E o emocionante ano seria marcado para sempre pelo que ocorreu em 11 de setembro, com o maior atentado terrorista de todos os tempos, envolvendo aeronaves e companhias aéreas norte-americanas.

Como se sabe, duas aeronaves de grande porte colidiram com as duas torres de prédios do complexo comercial World Trade Center, as conhecidas Torres Gêmeas, em Nova York. A rede Al-Qaeda, de Osama bin Laden, usou dezenove terroristas para sequestrar os aviões comerciais e cumprir seus propósitos. Uma aeronave foi derrubada no estado da Pensilvânia e uma quarta contra a sede do Pentágono, em Washington. Três voos eram da American Airlines. Um voo, da United Airlines. Mais de três mil pessoas morreram.

Os atentados ocorreram numa terça-feira. No fim de semana, eu havia torcido o pé. Segurei o quanto pude até que, naquele dia, fui ao hospital Einstein, no bairro do Morumbi, zona sul de São Paulo, onde tirei raio X. Eu estava esperando o resultado quando vi pela televisão da emergência o choque dos aviões nas Torres Gêmeas.

Passei então a conversar por telefone com quem pude, para entender o que estava acontecendo e começar a decifrar as primeiras consequências daquele trágico evento. Começaram ali mesmo os boatos de toda ordem: por exemplo, todas as sedes de poder seriam evacuadas, como o Congresso Nacional, em Brasília, e o Capitólio, em Washington; reações histéricas passaram a ser ouvidas por todos os lugares; hospitais foram vistos como lugares de risco.

E, obviamente, nos aeroportos houve grande apreensão. Tínhamos dúvidas se os voos decolariam ou não. Passageiros cancelaram seus voos em massa. Naquele dia e nos dias imediatamente posteriores, houve um desabamento histórico dos índices de ocupação das aeronaves. Era gente por todos os lados cancelando compromissos ou simplesmente não aparecendo para viajar.

Era uma reação natural até que o mundo digerisse o que havia ocorrido. Até a nossa empresa também digerir, entender e se adaptar a tudo aquilo, enfrentamos três dias pavorosos. Foi quando o mundo começou aos poucos a perceber que havia sido um ato isolado em Nova York e em Washington. Era uma tragédia de impacto histórico e inacreditável, mas não deixava de ser um ato isolado contra os Estados Unidos.

Seriam dias de indescritível tensão em todos os mercados, mas principalmente o setor aéreo ficaria abalado. Passamos ali por uma grande prova de fogo. O mercado segurador entrou em pânico, pois a frota segurada passou a ser considerada uma bomba de larga proporção. Muitos passageiros passaram a cancelar voos. O nível de alerta nos aeroportos chegou ao grau máximo, com revistas demoradas e tensas.

Viajar não estava sendo um prazer, e todas as companhias aéreas do mundo foram de alguma forma prejudicadas, principalmente as norte-americanas, claro, que em poucos meses pediram proteção judicial para pagar seus credores.

❖ ❖ ❖

O fato é que o 11 de Setembro teve um impacto inicial assustador, com cancelamentos em alto grau nos primeiros dias – até uma semana depois os níveis ainda estavam baixíssimos. Mas para nós, num aparente paradoxo, o efeito se deu de maneira contrária.

Explico. Muitos passageiros deixaram de viajar para o exterior nos meses seguintes. Resolveram viajar pelo Brasil. Até passar pelos Estados Unidos, em conexão, significava dor de cabeça e medo. Aumentou o rigor para a obtenção de visto. As regras de segurança para entrar e sair dos aeroportos norte-americanos e europeus se tornaram bastante duras.

O resultado foi um enfraquecimento das rotas internacionais e aquecimento dos voos domésticos, onde operávamos 100% de nossa frota. Companhias aéreas passaram a cancelar pedidos de aquisição de aeronaves, o que deixou o mercado com abundância de aviões disponíveis. Com redução nos voos internacionais, muitos pilotos e comissários seriam dispensados por nossos concorrentes. Todos com altíssimo nível técnico.

O mundo estava em crise, e o Brasil não ficou fora disso. O mercado de aeronaves ficou abalado, com muitas desistências de pedidos de novas aeronaves e devolução antecipada de alguns arrendamentos.

Aquilo nos abriu uma oportunidade que não tínhamos antes do 11 de Setembro. Para resumir: apareceram mais aeronaves disponíveis no mercado. Elas estavam livres com preços muito mais baixos do que estávamos pagando, devido ao excesso de oferta. Justamente era a impossibilidade de novas aquisições um grande gargalo para nosso crescimento.

É constrangedor admitir isso, mas aquele terrível desastre nos abriu uma chance de acelerarmos o crescimento. Mesmo abalados com a tragédia, de consequências graves nos dias imediatamente seguintes aos atentados, pegamos essa oportunidade e fizemos um pedido para dobrar nossa capacidade em apenas um ano.

Essa decisão foi ainda mais acertada quando, em novembro de 2001, a Transbrasil, afetada por sua crise financeira e pela falta de pagamento de seus fornecedores, encerrou atividades, cancelando todos os voos que ainda estavam em operação. Todos os funcionários foram dispensados.

Em outras palavras, tivemos um espaço aberto para crescer nas rotas abandonadas e ainda contratar excelentes e experientes profissionais, que novamente estavam disponíveis para nós. A Transbrasil tinha uma equipe de trabalhadores com alto grau de capacidade técnica e – igualmente interessante para nós – com certificados de operação para aeronaves Boeing. Falando em bom português, aqueles profissionais estavam prontos para entrar jogando.

Tínhamos então o melhor dos mundos: aeronaves e tripulações. Com isso, poderíamos dar nosso segundo passo e triplicar o tamanho da empresa no segundo ano de operação, saindo dos iniciais seis aviões para 21 aeronaves no final de 2002.

Em nosso plano de negócios inicial, prevíamos chegar a dez aviões no quinto ano de atividades. Na prática, em 2002, já estávamos com mais de vinte, marca que atingiríamos, nas projeções originais, somente no décimo ano. E chegaríamos a cem aviões em 2007 – ou seja, uma centena de aeronaves com apenas seis anos de vida.

Nosso plano estava, na prática, melhor do que o inicialmente planejado, o crescimento mais acelerado, a equipe cada dia mais entrosada. E nossos concorrentes, em crise. O jogo estava apenas começando, e nosso desempenho era extraordinário.

Entrávamos no círculo do voo virtuoso, que mostrava o seguinte: quanto mais barata a passagem, mais voávamos; quanto mais voávamos, menor era o custo por passageiro; quanto menor o custo por passageiro, mais conseguíamos voar; quanto mais conseguíamos voar, menor era o preço da passagem.

Nascia ali o "Efeito Gol", nome posteriormente dado ao crescimento da companhia em apenas cinco anos.

7

O meu "clone" era um vip 171

Não gosto do episódio e nunca gostei de comentá-lo em público. Mas nesta revisita à minha história e à história da GOL, não posso deixar de mencioná-lo.

Corria o ano de 2001, o mesmo emocionante e intenso ano do surgimento da GOL e dos atentados que mudariam o século 21. Novembro chegara e, com ele, o Recifolia, um carnaval fora de época que acontece na capital pernambucana. A GOL havia começado a voar para aquela cidade pouco tempo antes e foi uma das apoiadoras do evento. Um apoio não muito expressivo – éramos a transportadora oficial do evento, doando cerca de trinta ou quarenta passagens. Éramos uma empresa nova apoiando um evento novo num destino recém-aberto. Mas nada muito significativo, tanto que ninguém em posição estratégica da companhia, nem da área de *marketing* em particular, foi para lá.

Ninguém, exceto um tal Henrique Constantino, "o dono da GOL".

Numa das mais cinematográficas mentiras da nossa história recente, um trambiqueiro chamado Marcelo se passou por mim. E foi assim, nessa condição de dono da GOL, que conseguiu alguns convites para entrar no camarote principal.

Existem várias versões sobre como ele conseguiu entrar na festa, por isso reproduzo aqui a que ouvi, uma vez que, na época, eu estava em São Paulo, na minha vida normal de sempre – enquanto esse cidadão, usando o meu nome, conseguia entrar na festa, enganar muita gente e fazer uma boa farra.

Marcelo realmente era um golpista, tanto que suas histórias depois se tornaram um livro da escritora Mariana Caltabiano, um documentário e um filme, intitulado *Vips*, produzido pelo O2 filmes, do cineasta Fernando Meirelles, e protagonizado pelo renomado ator Wagner Moura. O episódio gerou inúmeras reportagens. Aquele rapaz virou um vilão na imprensa e, para espanto de muita gente, herói em muitos grupos de internet.

Com toda essa produção nas artes e no jornalismo, eu e o Brasil inteiro viemos a descobrir que ele usou nada menos que dezesseis identidades falsas ao longo de sua "carreira" no crime. Foi policial do grupo de elite, guitarrista dos Engenheiros do Hawaii, olheiro da seleção brasileira de futebol, campeão de jiu-jítsu, repórter da MTV, produtor do programa *Domingão do Faustão* e líder do PCC, entre outros.

Mas sua mentira mais ruidosa, segundo a própria imprensa, foi mesmo se passar por mim no Recifolia. Como sabia pilotar aeronaves e helicópteros e tinha uma ótima lábia, impressionou muita gente, foi paparicado por ricos e famosos, entrevistado duas vezes pelo apresentador Amaury Jr. e fotografado para colunas sociais.

O organizador do Recifolia deu-lhe os chamados abadás para os dois dias de festa. Durante uma sexta-feira e um sábado, ele conquistou diversas mulheres, cativou diversos homens, seduziu os que o cercavam, hospedou-se em hotéis de luxo, pilotou um jato particular e um helicóptero cedidos por empresários que se tornaram seus amigos íntimos em poucas horas.

Fez o que quis apenas com sua lábia de trambiqueiro, sem gastar nenhum centavo e apenas usando o meu nome como sendo o "dono da GOL". Chegou escoltado por dois fortes seguranças, os únicos que depois chegaram a tentar cobrar a conta pelos serviços prestados – nem eles o charlatão pagou. Ambos foram ao balcão da GOL no aeroporto do Recife para tentar receber o que lhes havia sido prometido. Ali descobriram que tinham sido enganados.

– Não estamos sabendo de nada – precisou insistir a atendente de aeroporto que os atendeu, estupefata com a ingenuidade daqueles seguranças que imaginavam receber dinheiro no balcão da companhia aérea.

Como um bom estelionatário, o golpista falava tudo o que todos gostariam de ouvir, prometendo patrocínios e apoio da GOL para todos os artistas, modelos e pessoas que tinham interesse na empresa. Imaginemos um empresário que estava abrindo a mão para investir em tudo o que fosse necessário... Isso o tornou uma celebridade da festa e abriu-lhe todas as portas possíveis, até ser preso no Rio de Janeiro, quando dava carona num jato para os atores Ricardo Macchi e o então casal de atores Marcos Frota e Carolina Dieckmann.

"O verdadeiro Marcelo é uma pessoa inteligente, com uma tremenda cara de pau e um senso moral bastante flexível", descreveu uma reportagem da revista *Época* dez anos depois, quando o filme *Vips* foi lançado. De fato, esperto, bonachão, inteligente e tremendo cara de pau, sua capacidade de comunicação se revelava realmente invejável, e, se ele soubesse utilizar essa capacidade para fazer o bem, seria com certeza um grande homem de negócios.

A mesma reportagem ouviu um psicanalista, Mario Corso, para quem o verdadeiro Marcelo não sofria de delírios nem mitomania (quando uma pessoa cria histórias e se atribui qualidades para impressionar os outros). "Ele mente para atingir seus objetivos", disse o psicanalista à revista. "E não mede as consequências para atingir seus fins." Apesar dessas características, que poderiam enquadrá-lo como psicopata, Corso afirmou que o comportamento do falso Henrique é uma ampliação de algo comum: mentir para ter uma boa imagem.

A revista concluiu:

Fosse apenas para conquistar mulheres e entrar em festas exclusivas, Marcelo poderia receber a indulgência de ser tachado como um personagem folclórico. Mas ele se envolveu em crimes como transportar drogas de avião da Bolívia e do Paraguai para o Brasil. Participou de roubos de aviões e se envolveu em trocas de tiro com bandidos – embora ressalte que nunca feriu suas vítimas durante um roubo.

Foi por isso que recebeu condenação em vários estados por crimes como falsidade ideológica, roubo e envolvimento no narcotráfico, num total de 22 anos.

Marcelo foi esperto até na escolha do "filho do dono da GOL" por quem iria se passar. Ele sabia que eu existia e que era o menos visível. Se tivesse escolhido o Constantino Júnior, por exemplo, muita gente imediatamente descortinaria a falsidade. Júnior estava na mídia; eu, não. Poucas vezes tive foto ou vídeo expostos na imprensa. Eu era um nome mais fácil para ser usado naquele golpe. Mas, de fato, nunca fui atrás para saber seus motivos.

❖ ❖ ❖

Tomei conhecimento do episódio na noite de segunda-feira, quando minha secretária me encontrou em casa para repassar uma ligação do Júnior.

– Alguém se passou por você num evento em Recife – meu irmão resumiu. – Fez isso durante o fim de semana inteiro.

– Tá de brincadeira? – respondi.

– Não estou. É sério – assegurou.

Naquela mesma noite, o burburinho estava sendo maior, devido à prisão um pouco mais cedo, no Santos Dumont. Ele voava num jatinho, a caminho de Congonhas, mas precisou parar para abastecer no Rio.

Na manhã seguinte, minha secretária me informou sobre as barbaridades que o "clone" havia feito em meu nome. O golpista prometeu mudar os horários de passagens de diversos foliões, dizendo para não se preocuparem em ir cedo que ele próprio mudaria o que fosse necessário. E foi assim que um voo da madrugada teve diversos *no show*. No final da tarde, aparecerem várias pessoas que deveriam ter viajado naquela madrugada mas só foram ao aeroporto naquele horário, por acreditar nos pauzinhos mexidos pelo falso Henrique.

O mais curioso é que ele não se parece nada comigo. Nada. Quando recebemos uma foto do sujeito, ficamos surpresos com a enorme diferença de feições. Nossa fisionomia é completamente diferente – não haveria como alguém me confundir com ele. Mas pelo papo e pela forma de agir, acabou conquistando a todos, que ficaram cegos com tamanha benevolência.

O tema nunca afetou a GOL, nem a mim, porém, foi um fato inusitado que demonstrou o que uma empresa aérea pode fazer. Com apenas onze meses de operação, todos já conheciam a companhia e ficaram babando atrás do suposto empresário-esbanjador. Esse episódio até me assustou com o potencial e *glamour* de uma empresa aérea, e como ela gera um apelo grande em todos os setores, principalmente os eventos festivos e suas viagens.

O fato de um caso como esse virar um filme e um livro, e disso gerar uma grande repercussão, aconteceu não somente por o protagonista ser um tremendo trambiqueiro e farsante, mas também pelo fato de envolver uma empresa aérea, que gera um fascínio adicional na população. Sejamos honestos: o avião e sua capacidade de voar ainda geram grande apelo emocional em homens e mulheres de uma forma geral. A capacidade de diminuir distâncias e aproximar as pessoas gera grande poder de admiração, ou, de uma forma ainda mais forte, desperta irresistível paixão e sedução.

Portanto, esse evento foi não só curioso, como também abriu meus olhos para entender melhor onde estávamos vivendo. Apesar de ser um setor da economia que gera apenas 2% do PIB, o setor aéreo ocupa mais páginas de jornal e suas manchetes do que outros grandes setores, como mineração e construção civil. Nas conversas de bares, o que mais existem são *experts* em aviação, e todos dão palpites sobre o tema. Um acidente aéreo gera mais comoção do que um acidente de trem com dez vezes mais vítimas. Isso nos alertou ainda mais sobre a nossa responsabilidade com a empresa e a importância desse setor na vida das pessoas.

Nossa família sempre manteve a discrição como forma de vida. A partir daquele momento (e dez anos depois, com o ressurgimento do interesse pelo episódio em decorrência do filme produzido por Fernando Meirelles), passaríamos a estar completamente expostos.

Não assisti ao filme *Vips*, mas Meirelles enviou o roteiro antes, com o pedido de autorização para usar o nome da GOL e o meu. Caso não autorizássemos, o personagem e a companhia aérea teriam outro nome, vinculados aos nossos mas não necessariamente os mesmos. Na época, conversei com assessores, em dúvida sobre o que fazer.

– Acho melhor você aceitar – sugeriu um deles, apresentando um argumento sólido em seguida. – Aceitando você pode corrigir algumas coisas e evitar algum eventual equívoco do roteiro e do uso do seu nome.

Tinha razão. Um exemplo aparentemente bobo era um trecho do roteiro que mostrava o falso Henrique levando uma modelo para a cabine do avião da GOL. Na vida real, isso jamais seria possível. Primeiro porque aquela atitude seria incompatível com o modo de agir de todos os irmãos, portanto, qualquer integrante da tripulação não acreditaria no falso Constantino. Segundo porque é uma cláusula pétrea da companhia aérea: nada acontece na cabine que não esteja estritamente ligado à condução e à segurança do voo.

Quando o filme foi lançado, o apresentou Amaury Jr. insistiu muito para fazer uma entrevista comigo. Houve quem quisesse que eu acompanhasse o ator Wagner Moura na estreia.

O episódio não gerou maiores consequências, como disse, mas despertou algumas situações curiosas ou constrangedoras. Certa noite, por exemplo, eu estava numa festa quando vi a chegada do mesmo Amaury Jr.

Fugi discretamente da festa. E alguns anos depois, quando recebi a visita de agentes e delegados da Polícia Federal em minha casa ou precisei depor no Ministério Público (no contexto dos episódios narrados no primeiro capítulo), fui abordado sobre o caso.

– Conta aí como foi aquela história – pediram, parecendo ser mais de curiosidade sobre a condição do homem por quem aquele 171 se passara do que um investigado.

Discreto como sou, aquele episódio me garantiu enorme aperto no coração. Mas foi uma reafirmação clara do enorme poder de nossa marca.

8

Rumo a Wall Street e ao dobro do tamanho

Começava 2002, e, naquele segundo ano de operações, vivíamos uma fase de ataques por aqueles que antes nos subestimavam. Havíamos superado a fase de desconfiança da população e de desdém dos nossos concorrentes. Agora enfrentávamos uma ação severa contra nós – eram chutes no fígado recebidos diariamente.

A Transbrasil já havia falido após a morte de um de seus fundadores, Omar Fontana. No ano anterior, a TAM perdera o seu grande criador, o comandante Rolim Adolfo Amaro, morto próximo à cidade de Pedro Juan Caballero (Paraguai) em consequência da queda do helicóptero que pilotava, num acidente não tão bem explicado. Embora ambos nos tratassem de forma indiferente, eles eram ícones admirados da história da aviação do Brasil – e sempre tentamos tratá-los com enorme respeito e consideração.

A empresa dos arco-íris estava fora do mercado. A TAM enfrentava uma mudança apressada e absolutamente inesperada na gestão. A Vasp passava por uma grave crise, incluindo algumas discussões no âmbito da família Canhedo, nossos velhos conhecidos no sistema de transportes de ônibus urbanos.

Por fim, mas não menos importante, a Varig se deparava com uma crise de identidade relacionada à sua estrutura acionária bastante complexa – o poder decisório estava nas mãos de um conselho deliberativo gigantesco, e as tomadas de decisão eram feitas por uma assembleia bastante diversificada e desconfiada (era necessário alugar um enorme auditório para que alguma decisão fosse tomada na companhia aérea); aquela era uma governança bastante interessante se todos estivessem alinhados, mas extremamente complicada diante de assuntos divergentes e, sobretudo, em momentos de crise como o que estavam vivendo.

Aliados a essa confusão administrativa, os voos internacionais, que representavam 60% do faturamento da Varig, estavam em crise, abalados pelos acontecimentos do 11 de Setembro, que ainda se refletiam na queda de passageiros desse mercado.

Com a crise atingindo a todos de maneira generalizada, exceto a nós, éramos os alvos prioritários dos concorrentes. A cantilena era a mesma: acusavam a GOL de baixar preços sem critério; atuavam diretamente sobre as agências de viagens, forçando-as a não vender nossas passagens em troca de comissões mais robustas; difamavam nosso nome, nossa imagem e nossa proposta de baixo custo para os viajantes.

Em reação, buscávamos mostrar que essas acusações eram desprovidas de sentido. Nossos preços seguiam uma lógica rigorosa. Tinham base e geravam bom resultado operacional para a empresa. Conversávamos com todas as agências, sem exceção. Não miramos nenhuma empresa concorrente A ou B, apenas trabalhávamos de maneira incessante em defesa de nosso projeto. Incentivávamos a venda pela internet numa época longe de ser digital como hoje (em 2003 lançaríamos o *web check-in*, um marco até hoje).

Tudo se somava para que tivéssemos grande chance de crescer aceleradamente. Um momento único, em que as quatro grandes operadoras nacionais viviam crises de diversas naturezas ao mesmo tempo. Como disse uma vez um importante consultor do ex-presidente dos Estados Unidos Bill Clinton, uma crise é algo grande demais para ser desperdiçado.

Tínhamos a convicção de que não poderíamos deixar passar aquele momento de oportunidade. Por isso, nosso projeto inicial foi adaptado à nova realidade do mercado. Nosso plano original previa que teríamos o dobro do tamanho em 2002. Como escrevi, queríamos terminar aquele ano com vinte aeronaves e próximos da fatia de 16% do mercado doméstico brasileiro no segundo ano de operação. Se alcançássemos a meta, ficaríamos atrás apenas da Varig, que na época celebrava 75 anos de vida.

A Varig chegou a ocupar metade do mercado nacional e se tornara membro da fortíssima aliança internacional Star Alliance. Mas, na sua grave crise institucional, reduzia em queda livre sua participação no mercado a menos de 40%. A TAM vinha atrás, também contando com suas alianças internacionais e já operando por trinta anos no mercado brasileiro. Enquanto isso, havíamos superado a Vasp, tradicional empresa paulista, que vinha perdendo mercado a cada dia.

Estávamos diante de uma nova oportunidade de ouro para crescer rapidamente, apesar do pouquíssimo tempo de vida. Mas essa nova rodada de crescimento gerava uma forte necessidade de caixa que não tínhamos disponível. Começamos então a avaliar algumas formas de captar recursos, dentre elas a ideia de aceitar os aportes dos chamados fundos de *private equity* – na tradução ao pé da letra são "ativos privados"; na prática, fundos que compram participações em empresas em ascensão.

Tais fundos buscavam oportunidades compatíveis com a nossa realidade naquele momento: eles apostam dinheiro de risco para projetos com alta possibilidade de retorno, mas na época sabiam que esses recursos poderiam render grandes lucros ou grandes prejuízos. Afinal, éramos um modelo de operação em teste no Brasil.

Vários bancos de investimento nos procuraram na época. Também nos consultaram fundos de *private equity*, como o AIG Capital Partners e o Capital Group. Com todos eles discutíamos possibilidades de investimento e aporte de capital na empresa.

O mais difícil era falar que não precisávamos deles, escondendo o fato de que, na verdade, estávamos desesperados pelos recursos. Era um jogo tipo "me engana que eu gosto", pois eles tinham real noção de nossas necessidades. Fingíamos que não precisávamos, eles fingiam que não estávamos querendo muito o seu dinheiro, e todos dançávamos conforme a música das aparências – os ganhos poderiam ser bons para ambos.

Foram meses duros e estimulantes. Havia quatro instituições financeiras no páreo: Pactual, Credit Suisse, AIG e Capital Group. Logo se percebeu que o Credit Suisse havia feito um forte investimento na TAM e, no fundo, queria promover uma fusão entre nós e a concorrente.

O Pactual avaliou a empresa em R$ 200 milhões e propunha um aumento de 25% do capital. Para o Capital Group, valíamos R$ 100 milhões, e eles se propunham injetar 30% daquele valor. Depois de diversas rodadas de negociações, fechamos um aporte de capital com a AIG em novembro de 2002, quando eu, meu irmão Júnior e os administradores do braço brasileiro do fundo viajamos a Wall Street para assinar o acordo. O AIG aportaria US$ 23 milhões – ou R$ 94 milhões – para ficar com 20% da empresa, no preço-base. Dependendo do resultado da companhia naquele ano, essa participação poderia subir a 33% ou reduzir-se a 12,5%. Como os nossos resultados foram muito positivos, a participação ficou, no fim das contas, em 12,5%.

❖ ❖ ❖

A partir daquele momento, não estaríamos mais sozinhos. Tínhamos sócios. E, como diz o ditado, "quem tem sócio tem patrão". Como todo investidor de risco do mercado internacional, eles eram investidores rigorosos e cobravam cada detalhe, na grande maioria das vezes adequados. E assim, contribuíram muito para a gestão da empresa.

Os recursos entraram em março de 2003. Todo o dinheiro foi destinado ao caixa da companhia. Assim ficamos preparados para dobrar de novo de tamanho naquele ano.

Havia condições claras e rígidas para tanto. Uma dessas condições acertadas no aporte era colocar um CFO (*Chief Financial Officer*) de mercado para tentar abrir o capital da companhia, com ações listadas na bolsa de valores, num prazo máximo de cinco anos. Além disso, haveria a necessidade de formação de um Conselho de Administração mais atuante.

Com essas mudanças na companhia, meu cargo de diretor financeiro foi transmitido para um profissional de mercado, Richard Lark Jr., uma pessoa que certamente trouxe maior capacidade de alavancagem para a empresa no mercado financeiro, abrindo portas para continuarmos nossa batalha pelo crescimento.

Meu irmão Constantino Júnior adquiriu a confiança dos sócios e se tornou um CEO (*Chief Executive Officer*) ainda mais influente. Eu passei a atuar mais no Conselho, sempre ao lado do Júnior e do Richard, cada vez mais participativo no dia a dia do Conselho de Administração e nos seus comitês operacionais do que na rotina de uma vice-presidência financeira.

Isso foi muito bom para a empresa e melhor para mim, que pude participar da música e do lado de fora da banda, já no púlpito. Conseguia assim observar de forma privilegiada o desempenho de todos os músicos da sinfônica.

Tivemos um ano frenético em 2002, que chegou ao fim de maneira turbulenta, com bolsas em polvorosa e em queda e dólar disparado, em alta. O ano de 2003 seria outro desafio, com novos sócios, crescimento acelerado, novas funções e um movimento político nacional assustador.

Luiz Inácio Lula da Silva foi eleito em 2002 debaixo de grande turbulência econômica no Brasil. Entre janeiro e outubro daquele ano, quando as eleições ocorreram, a Bolsa de Valores de São Paulo despencou inacreditáveis 31,8%. O mau humor do mercado financeiro crescia proporcionalmente ao avanço de Lula nas pesquisas. A cotação do dólar disparou incríveis 56,24% até a véspera do primeiro turno.

Em junho, o banco Goldman Sachs provocou polêmica ao criar o "lulômetro", fórmula que tentava antecipar como a vitória do candidato do Partido dos Trabalhadores (PT) influenciaria o câmbio. Na expectativa do banco norte-americano, o dólar atingiria R$ 3,04 com a vitória do petista e ficaria em R$ 2,52 caso o candidato do PSDB, José Serra, vencesse. Criticada, a projeção até se revelaria conservadora: o dólar atingiria a máxima de R$ 3,99 em 27 de setembro, antes mesmo de Lula vencer.

Lula tomaria posse em 1º de janeiro de 2003. Seria o primeiro mandato de um presidente do PT eleito pelo voto popular e com grande apoio da sociedade. Poucos sabiam avaliar como seria o governo, mas nós não mudamos nosso ritmo. Permanecer em voo de cruzeiro com um dólar naquelas alturas seria impensável para muita gente, especialmente por estarmos num setor que tem muitos custos em dólar. Mas eu tinha a certeza de que o câmbio não permaneceria naquele patamar por muito tempo. Era irreal. Além disso, tínhamos muita convicção da assertividade de nossa empreitada, pois nosso maior objetivo era popularizar o transporte aéreo, algo compatível com o espírito daquele novo governo.

Apostamos nele, no Brasil e em nós.

9

O fim das mordomias

Começamos 2003 apostando no governo, no Brasil e, como sempre, em nós. Iniciamos aquele terceiro ano de operação com chances reais de crescer ainda mais. Com a posse do novo governo, a empresa continuou a ser assunto nos corredores de ministérios, empresas estatais e autarquias – à burocracia já existente acrescentavam-se no governo novos integrantes, muitos deles com uma nova visão de país. Aquele momento parecia promissor.

Enquanto isso, nossos concorrentes, que de início nos ignoraram e depois passaram a buscar retaliações, agora iniciavam um ataque feroz, incisivo. Diversos políticos seguiram a onda dos ataques, feito uma manada. Começaram a nos criticar como se fôssemos oportunistas, prontos a destruir um sistema de transporte aéreo consolidado e bem prestado pela poderosa Varig.

A mira deles tinha outro alvo: a GOL estava destruindo diversos e notórios benefícios e regalias que a Varig oferecia tanto a políticos quanto a formadores de opinião. Hoje parece algo inexplicável, um contrassenso, mas até ali a Varig – considerada por muitos o símbolo maior do transporte aéreo brasileiro, uma empresa "nacional" quase confundida, por exemplo, com uma Petrobras – era sinônimo também de privilégios a poucos.

Havia uma realidade inegável até então: a Varig tratava congressistas, ministros e magistrados com um atendimento prioritário personalizado.

Nada de errado quanto a criar padrões de atendimento prioritário personalizado; o problema estava no fato de que a companhia aérea estabelecia padrões entre passageiros comuns e autoridades – duas castas que definiam barreiras claras entre privilegiados e não privilegiados e, acima de tudo, alimentavam o apetite de políticos por boquinhas incompatíveis com uma economia de mercado.

O resultado da extensão dessa prática foi o olhar torto dessas pessoas para o nosso crescimento. Afinal de contas, ninguém gostaria de perder as mordomias oferecidas pelas empresas aéreas tradicionais, especialmente a Varig, responsável por nada menos do que nove entre dez voos ligando o Brasil a outros países. Era, portanto, o maior sonho de consumo daquela minúscula fração da população afagada com mimos, cortesias e *upgrades* sem sustentação financeira.

Aquilo que hoje é de conhecimento universal por ser oferecido por meio dos planos de fidelidade era prática corrente conforme o crachá, o cargo comissionado pelo dinheiro público ou o posto eletivo do viajante. Aquilo que hoje depende da frequência do uso e da receita para a empresa era benefício adquirido conforme a relevância política do viajante. Pouco importava, para tanto, sua fidelidade a essa ou aquela companhia aérea. Bastava ser considerado amigo do rei – seja qual fosse o rei, o que importava era a cultura inerente ao setor aéreo.

A GOL significava a ruptura com aquele tipo de cultura. E foi assim, sem mais nem menos, que passamos a sofrer ataques, críticas, questionamentos totalmente fora do contexto do negócio. A resistência a nós passou a ser inevitável e corrente. Era a reação – esperada, porém indesejada e injustificável – de pessoas que se viam com o "direito adquirido" usurpado, principalmente devido à redução das operações de empresas tradicionais – como eu disse, a Varig era a maior e o símbolo máximo da cultura de privilégios, mas Vasp e Transbrasil, por exemplo, jogavam aquele jogo com os mesmos métodos, as mesmas práticas.

Para completar, o início da operação da GOL, primeiro, e o aumento da renda entre os mais pobres e a chamada nova classe média, depois, permitiram uma enorme e bem-vinda democratização do transporte aéreo. Em pouco tempo, os principais aeroportos do país assistiram a um trânsito muito maior de pessoas. Terminais cheios, e com muito mais pessoas mais simples (aquelas que, até ali, nunca haviam tido oportunidade de viajar por esse modal de transporte), passaram a ser rotina. Aquilo gerou incômodo entre alguns grupos de pessoas.

Se antes voar era sinal de *status*, mérito que para alguns significava integrar o grupo de elite no país, a partir daqueles anos se tornaria benefício rotineiro não para poucos, mas para muitos. Se tempos atrás passageiros de avião se produziam com suas melhores roupas para fazer uma viagem, transformando a ida ao aeroporto num evento social com direito a maquiagem e salão, a partir dali passava a ser um ato quase tão prosaico quanto ir ao supermercado. Aquela mudança representava uma mistura de passageiros mais saudável e acessível. Viajar de avião passou a ser também sinônimo de cidadania e dignidade. E se antes era inadmissível viajar de maneira simples e desleixada, hoje é comum vermos nos aeroportos passageiros viajando de chinelo, camiseta e bermuda. O país mudava. O país mudou.

A democracia, enfim, chegava aos ares e aeroportos brasileiros. A consequência era um maior número de pessoas mais humildes e menos informadas de como funciona um embarque. Como já expliquei, o fato de haver passageiros de primeira viagem e pessoas mais simples chegando aos guichês dos aeroportos Brasil afora fez com que a GOL se preocupasse em tratar aqueles novatos com muito mais cuidado e atenção pelas equipes de embarque e de voo. Sabíamos que eles estariam ansiosos e assustados com a novidade. E por essa razão esses passageiros, sim, eram tratados como personalidades. Eles, sim, eram e continuam a ser a nossa razão maior de existir.

Nossos concorrentes não pensavam da mesma forma. Mais importantes eram os poderosos. E isso inevitavelmente acabou gerando insatisfação com vários interlocutores em Brasília, gerando alerta sobre nossas operações. Afinal de contas, estávamos mudando o mercado – e, ao contrário do que imaginávamos, o governo petista recém-iniciado interpretou essa mudança como algo indesejável. Entendiam os benefícios da democratização do transporte aéreo, mas achavam também que a redução da capacidade operacional das concorrentes era fruto de uma atuação destruidora do mercado de nossa parte – o que evidentemente parecia ser uma clara inversão de valores e de lógica.

As reclamações das concorrentes, que eram bastante ligadas aos novos governantes, e de vários parlamentares, também influenciados pelas concorrentes (sobretudo Varig e TAM) e pelas perdas de privilégios, gerou um ambiente adverso para a nossa empresa.

O ano de 2003, como disse, prometia ser auspicioso para nós: estávamos com diversas aeronaves encomendadas e previstas para chegar ao longo dos meses seguintes, nossa oferta de assentos e voos dobraria de tamanho novamente, a estratégia de contratação de pilotos, comissários e agentes de aeroporto estava a pleno vapor. Tínhamos a esperança de sermos bem-vistos por um governo com olhar generoso para a população mais pobre e que, portanto, apoiaria nossa ação em prol da democratização do acesso às viagens aéreas. O otimismo era acrescido pelo fato de que tínhamos acabado de receber aporte de nosso investidor e estávamos prontos para dar continuidade ao nosso projeto.

Mas eis que, já no terceiro mês de governo, o DAC decidiu, por um ato isolado de seu diretor-geral, mas autorizado pelo então ministro-chefe da Casa Civil, José Dirceu, proibir a importação de qualquer nova aeronave comercial para o Brasil. Isso mesmo: com uma canetada do brigadeiro Washington Carlos de Campos Machado, uma portaria proibia um negócio privado de crescer.

Aquela medida significava que tudo o que havíamos programado para o crescimento em 2003 estava simplesmente proibido. Barrado. Vetado. Não poderíamos mais trazer uma aeronave sequer, mesmo aquelas já contratadas, cujos contratos precisaríamos cancelar. Além do prejuízo financeiro inevitável, teríamos de pagar as multas de cancelamento. Fomos obrigados, com isso, a suspender as contratações, rever orçamentos, reprogramar nossa malha futura, segurar vendas – enfim, o mundo virou de cabeça para baixo.

Era uma situação inusitada, pois aquele nível de interferência só acontecera na época dos governos militares, período em que eles controlavam a oferta caso a caso, rota a rota, dominavam os estudos de viabilidade e, só depois disso, autorizavam ou não determinado voo. Era uma época em que o governo controlava absolutamente tudo. Uma época agora rediviva. O ano de 2003 retroagia às décadas de 1960 e 1970, período de repressão ao investimento e à democracia.

Em bom português: nossos planos de 2003 estavam destruídos.

Numa tentativa firme de buscar uma solução e frear aquela determinação, cheguei a ir até a Casa Civil. Consegui uma audiência graças a um grande amigo de faculdade, o nosso advogado Evandro Pertence. Seu pai era ninguém menos que o ministro Sepúlveda Pertence, ex-presidente do STF.

Recorrer a Evandro também fazia sentido por uma razão óbvia: advogado respeitadíssimo, ele era também conhecido de José Dias Toffoli, na época o jovem subchefe para Assuntos Jurídicos da Casa Civil e hoje ministro do STF. Graças a esse contato, o mais tarde presidente da mais alta Corte do país aceitou me receber no Palácio do Planalto. Sua trajetória e ascensão foi veloz. Consultor jurídico do Departamento Nacional dos Trabalhadores Rurais da CUT (Central Única dos Trabalhadores), entidade ligada ao PT, depois assessor do próprio partido na Câmara dos Deputados, Toffoli desembarcara na Casa Civil junto com o governo e, em 2009, no STF, por indicação de Lula, nos instantes finais de sua gestão.

Cheguei um pouco cético ao encontro com o assessor jurídico do todo-poderoso José Dirceu, mas convicto de que tinha os argumentos para convencê-lo a fazer o governo recuar. Ele me tratou com bastante atenção, sobretudo em respeito ao amigo Evandro. Mas não abriu a guarda. Apresentei os argumentos e arrematei:

– O governo pode revogar a portaria?

– Não. Sem chance – respondeu, com firmeza, sem me dar qualquer abertura para vislumbrar uma mínima possibilidade de mudança da portaria do DAC.

Infelizmente, naquele momento o governo ainda em formação parecia contaminado pela repetida cantilena que ouvia de nossos concorrentes pela política de preços baixos (mas altamente ancorada na estratégia financeira da companhia). Nossos concorrentes diziam que estávamos acabando com a aviação do país e que praticávamos *dumping* com os preços.

– O governo pretende controlar a oferta desordenada – avisou.

Mostrei a ele que nossos preços eram resultado de um modelo operacional sólido. Se para mim o assessor de Dirceu disse explicitamente que atrapalhávamos o mercado, para a mídia o governo justificava a medida de maneira mais polida. Na síntese:

– Essa medida visa restabelecer a ordem do mercado, até o governo entender melhor a situação e escolher o caminho necessário.

Emendei:

– Não é possível pelo menos aceitar os contratos que já assinamos? Não faço nenhum novo contrato, mas já assumimos compromissos, pois os fabricantes exigem que paguemos parcelas antecipadamente. E já pagamos. A portaria não só nos impede de crescer como também traz prejuízos imediatos.

Toffoli não mudou de feição. Nada.

– No momento não será possível – disse. – São ordens superiores que precisam ser cumpridas.

Curto e grosso assim. O recado era claro: não havia chance de mudança à vista, pelo menos no curto prazo.

Tentamos acesso então ao diretor do DAC e depois buscamos subir a hierarquia, primeiro com o chefe da Casa Civil, em seguida com o presidente da República. Não conseguimos. Nada surtiu efeito. Teríamos de nos adaptar à nova realidade do mercado.

A história brasileira ensina que governo novo é sempre assim. Tudo o que a antiga gestão fazia estava errado e, portanto, precisaria ser revisto. E assim, durante os primeiros seis meses de mandato, nada anda muito. Novos gestores enfrentam suas famosas sabatinas, tomam posse e levam semanas e meses até entender o que está em suas mãos. Olham torto para o que é a cara da gestão anterior e buscam reinventar a roda. Até se acharem efetivamente, suspendem boa parte das medidas dos antecessores. Engessam tudo até segunda ordem.

Era o caso daqueles meses iniciais do governo Lula. Como num ato de rebeldia contra o liberalismo da gestão de Fernando Henrique Cardoso, bloqueava medidas e jogava água fria em nossos projetos. Aquilo nos assustou, mas, como informa a máxima popular, há males que vêm para o bem. Explico.

Com a restrição forçada de oferta, decorrente da proibição de aquisição de novas aeronaves, passamos a usar ainda mais os aviões já existentes. Mesmo com a proteção, a Vasp estava minguando e operava com menos de dez aeronaves, e ainda com baixíssima utilização de cada uma, chegando a modestíssimas oito horas de uso por dia, no máximo. Ela só tinha 737-200, que não conseguiam voar mais do que aquelas oito horas. Sua oferta descia, assim, ladeira abaixo.

Em paralelo, Varig e TAM fizeram um acordo de *codeshare* na ponte aérea Rio–São Paulo, que havíamos começado a operar em fevereiro daquele ano. Com isso, reduziram a oferta naquela rota. (*Codeshare* é, literalmente falando, um código compartilhado, um acordo entre companhias aéreas que permite atribuir um número de voo de uma companhia a voos operados por outras. Dessa forma, em tese e na prática, ambas podem cobrir mais destinos e frequências, melhorando o serviço de seus passageiros.)

Com aquela situação no mercado, sem possibilidade de aumentar oferta e com a demanda crescente graças à melhoria econômica, a consequência natural viria a seguir: aumento no preço das passagens. Era o efeito óbvio do mercado, quando a procura é maior do que a oferta.

Nossas aeronaves passaram a voar quatorze horas por dia. Começamos a fazer os chamados voos Corujões, pois havia espaço para praticá-los com preços mais baixos, utilizando ao máximo o nosso ativo – sempre respeitando, claro, o imperativo da segurança. Havia margem para isso, e aproveitamos.

Como já citei, a Transbrasil estava parada. E a Varig perdia mercado crescentemente, inclusive devido aos problemas nos voos internacionais após o 11 de Setembro. A TAM vinha menos aguerrida desde a morte do comandante Rolim. E nós éramos uma empresa nova, sem passivos, sem dívidas e com aviões novos capazes de voar mais horas e com menor custo.

Resultado: nossos resultados financeiros atingiram margens extraordinárias. Tínhamos um custo baixo, nenhum aumento de oferta e um grande aumento da demanda – fruto de uma economia em alta, preço do minério chegando ao ápice histórico e forte crescimento agrícola. E o que parecia ser um ato do governo horrível para nós se transformou no melhor que poderia acontecer. Usamos mais a nossa frota, aumentamos os preços e melhoramos nossas margens. Por outro lado, nossos competidores ganharam não mais do que uma pequena sobrevida. Continuaram em má situação financeira, com exceção da TAM, que teve um resultado melhor do que as demais.

O governo só constataria a falha no segundo semestre, quando percebeu que a proibição de importação de aeronaves não surtiu o efeito esperado – pelo contrário, acabou de vez com as empresas tradicionais, não impediu nosso crescimento em voos noturnos e ainda gerou aumento no preço das passagens. Diante da convicção de sua ineficácia, em setembro daquele mesmo ano o governo revogou a portaria.

O DAC seria substituído em setembro de 2005 pela agência reguladora ANAC (Agência Nacional de Aviação Civil). Bem antes disso, porém, em junho de 2004, o brigadeiro Washington Carlos de Campos Machado deixaria a direção-geral do órgão. Reportagem do jornal *O Estado de S. Paulo* naquele mês informava:

> O brigadeiro Washington Carlos de Campos Machado está deixando a diretoria do Departamento de Aviação Civil (DAC). O brigadeiro deverá ser designado para o III Comando Aéreo Regional, com sede no Rio de Janeiro. [...] A Aeronáutica informou que o brigadeiro está se afastando do DAC "por necessidade de serviço". Washington foi responsável pela decisão de suspender a venda de passagens pela Gol no valor de R$ 50 em vários trechos no país e, por isso, foi criticado por parlamentares e pelo ministro do Turismo, Walfrido dos Mares Guia. Na semana passada, o brigadeiro esteve no Congresso e foi criticado pelos senadores, que classificaram a atitude de autoritária e contrária ao interesse público, já que estaria impedindo que a população fosse beneficiada com passagens mais baratas.

Não fizemos nenhum movimento significativo, simplesmente nos adaptamos às determinações do novo Executivo. E o governo resolveu liberar novamente a importação de novas aeronaves. Pronto. Estávamos autorizados a crescer. Apesar do susto inicial, saímos ainda mais fortes do que começamos.

Mais um ano ia embora. Mais um período desafiador, tenso e bem-sucedido. A batalha seguia adiante. E mais uma vez iniciaríamos um ano animados, firmes, otimistas.

10

Estamos no mundo

O ano de 2004 ficaria marcado pela nossa entrada na Bolsa de Valores, após três meses de preparação – os famosos *road shows*, apresentações da empresa para entendimento e conhecimento dos investidores do mercado financeiro. Percorremos o mundo inteiro, em mais de duzentas reuniões acontecendo ao longo das costas leste e oeste norte-americanas, por toda a Europa e países da Ásia e da América Sul. No Brasil, foram rodadas no Rio de Janeiro, em São Paulo, em Belo Horizonte e Brasília.

Era algo inédito em muito tempo. O Brasil estava havia vários anos sem operação desse tipo – emissões de ações no mercado de capitais não faziam parte da rotina de empresas brasileiras desde a crise cambial de 1999.

A GOL e a Natura, empresa de cosméticos, eram as duas primeiras a encarar o mercado aberto, abrindo a possibilidade de investimento. Aquela captação de recursos permitiria a expansão da frota, a diversificação de nossas fontes de capital e a atração, com sucesso, de uma base ampla de investidores: global, aviação, mercados emergentes e brasileiros.

O fundo de *private equity* da AIG havia entrado no capital da empresa um ano antes e já estava solicitando a venda de metade de sua participação com rendimentos bem relevantes. A expectativa crescia à medida que as reuniões individuais, os encontros em grupo e uma infinidade de almoços e jantares aconteciam.

Tudo foi comandado pelo Júnior e pelo vice-presidente Financeiro e de Relações com Investidores, Richard Lark Jr. Foi uma agenda exaustiva de trabalho, com uma grande equipe no suporte a ambos. Havia *road shows* internacionais e nacionais, num processo acompanhado por nada menos que sete bancos diretamente envolvidos e diversas corretoras de valores de todas as partes do mundo. Os bancos eram Morgan Stanley, Unibanco, Itaú (mais tarde, Itaú e Unibanco se fundiram), Santander, Bradesco, Merrill Lynch e Safra.

Participei de vários encontros no Brasil, entre almoços, quando as reuniões eram mais restritas, e reuniões mais amplas. Às vezes eram reuniões individuais com instituições específicas. Recebíamos *briefings* de cada uma – o perfil do portfólio e dos interlocutores, se sabiam mais ou menos do mercado de aviação, que tipo de humor poderíamos encontrar, as características e preferências de seus gestores.

Estive em São Paulo, Rio, Londres, Milão, Zurique, Frankfurt, Edimburgo e Den Haag, cidade que fica ao lado de Amsterdã, mais conhecida como Haia. Júnior, Richard e outros ainda participaram de encontros em Paris e cidades norte-americanas como Nova York, Boston, Chicago, Los Angeles, e em algumas outras onde há grandes *assets*.

Tinha de tudo nesses *road shows* mundo afora: investidor que parecia querer entender mais do que a gente do setor de aviação, investidor que ficava o encontro inteiro em silêncio, investidor cujo pai é aviador e se transformava em *expert* de um minuto para outro. Tinha também gente empolgadíssima que vibrava a cada fala nossa, ou outros absurdamente céticos que, nos primeiros quinze minutos, tratavam de anunciar: "Não nos interessa".

Não raro nos deparávamos com investidores céticos em relação ao setor, marcadamente volátil em qualquer lugar do mundo. Em outros casos, conversamos com fundos que já exibiam, em sua carteira de investimentos, ações de empresas como American Airlines, Air France e Delta Airlines.

No Brasil a coisa virava mais curiosidade do que interesse no negócio. As reuniões tinham sua liturgia e funcionavam muito mais para gerar empatia entre os interlocutores do que para, de fato, servir de obtenção de informação efetiva. Afinal, o prospecto era extremamente detalhista. Em duzentas páginas, oferecia informações minuciosas sobre a companhia e as possibilidades de negócio.

O grande mote do nosso prospecto era uma palavra-chave daqueles tempos: crescimento. O documento e as apresentações presenciais mostravam que havia muito espaço para crescer. O Brasil era um país de dimensões continentais, com demanda em ascensão. Com foco em estradas – e muitas ruins –, sem ferrovias e do tamanho que temos, as condições se mostravam extremamente propícias para o setor. A renda ainda era muito baixa e, portanto, tinha muito a crescer. Nosso mercado era incipiente (na época, o mercado dos Estados Unidos, por exemplo, era dez vezes maior do que o nosso). A perspectiva era clara: quem investisse ali teria a chance de estar num mercado quadruplicado de tamanho em dois ou três anos. Ou seja, ganharia não só o rendimento, mas também o crescimento dos anos seguintes – como país, como renda e como oportunidade naquele segmento econômico.

Decidimos abrir o capital da empresa negociando as ações simultaneamente em São Paulo, na Bovespa, e em Nova York, na tradicional NYSE (*New York Stock Exchange*) – foi a segunda listagem simultânea de uma companhia brasileira na Bovespa e na NYSE.

Enquanto isso, a companhia mostrava resultados financeiros e operacionais cada dia mais sólidos.

Nossos funcionários vibravam com o contínuo crescimento. As contratações de novos colaboradores se mostravam intensas. Tínhamos 27 aeronaves, 3.500 funcionários e 23% do mercado doméstico brasileiro. Era um desempenho extraordinário, e aquilo impressionava os potenciais investidores.

Para melhorar ainda mais o ambiente da empresa, o Brasil passava por um momento de ouro na economia. Os preços das *commodities* estavam no mais alto valor da história. Nossos grandes itens de exportação, como soja, milho e minério, exibiam patamares muito valorizados, gerando lucros extraordinários às empresas exportadoras e, por consequência, ao nosso país. O presidente Lula vivia o segundo ano de mandato, e aquela desconfiança inicial do mercado financeiro fora abandonada. Os prognósticos mais pessimistas não haviam se confirmado; sua equipe econômica parecia até mais alinhada com as premissas do mercado do que as de governos anteriores.

O próprio presidente Lula produzia discursos mais liberais, progressistas e menos intervencionistas. O então ministro da Fazenda, Antonio Palocci, estava alinhadíssimo com o pensamento das grandes instituições financeiras. O presidente do Banco Central, Henrique Meirelles, pregava a estabilidade econômica, e com isso a taxa de câmbio, que chegou a bater em R$ 4 no final de 2002, voltava a patamares próximos a R$ 2 em 2004. Aquela cotação ajudava bastante uma empresa aérea nacional, que tem cerca de 60% dos seus insumos relacionados à moeda internacional.

O momento era virtuoso para aquela equipe, combinando estabilidade da moeda, crescimento econômico, confiança no governo e nas instituições, apoio do meio empresarial e também da população – condições que deram ao governo um grande poder para pensar ainda mais alto no futuro. Com isso, liquidou suas dívidas com o Fundo Monetário Internacional (FMI), começou a criar uma grande reserva de recursos cambiais, criou o programa de investimento no petróleo por meio do pré-sal e chegou a ser cotado como o grande país do futuro por diversos veículos de comunicação especializados em negócios internacionais.

Um momento único, que gerou um bordão do então presidente da República: "Nunca antes na história deste país". O país bombava com o otimismo.

Pegamos carona naquela onda positiva e juntamos a isso o desempenho da empresa e o primoroso trabalho realizado por Júnior, Richard e suas equipes no processo de divulgação para investidores. O excelente desempenho operacional da companhia era a cereja do bolo.

E foi assim que, em 24 de junho de 2004, a GOL conseguiu realizar o seu IPO, a sigla para *Initial Public Offering*, ou Primeira Oferta Pública, o tipo de oferta pública na qual as ações de uma empresa são vendidas no mercado, via Bolsa de Valores. E assim nos tornamos uma empresa de capital aberto.

"A Gol entra hoje para o mercado de capitais", informava, naquele dia, a edição do jornal *O Estado de S. Paulo*.

> As ações da companhia estreiam ao mesmo tempo na Bolsa de Valores de São Paulo e na Bolsa de Valores de Nova York. Ao contrário da Natura, que entrou para o Novo Mercado, os papéis da companhia aérea lançados hoje não dão direito a voto. Ou seja, são ações preferenciais (PN). Em compensação, seguem as regras do nível 2 de governança corporativa. Trata-se de um sistema que garante o tratamento igualitário entre os acionistas, além de transparência e responsabilidade na divulgação dos resultados da empresa. Através da prática da governança corporativa, é permitido aos acionistas a efetiva monitoração da direção executiva.

A oferta global foi dividida em 9,254 milhões de ações no Brasil e 23,796 milhões no exterior, sob a forma de 11,898 milhões de *American Depositary Receipts* (ADRs), totalizando cerca de R$ 878 milhões. Cada ADR corresponderia a dois papéis da GOL. "No contexto desta Oferta Global, estima-se que o Preço da Oferta por Ação Preferencial estará situado entre R$ 23,00 e R$ 26,00", informava o prospecto definitivo da GOL, assinado pelo banco Morgan Stanley, chancelado por outras seis instituições financeiras contratadas, "ressalvado, no entanto, que o preço da Oferta por Ação Preferencial poderá ser fixado fora desta faixa indicada".

E foi. As ações da empresa estrearam na Bovespa cotadas a R$ 28,50, com ganho de 7,26% em relação ao preço de oferta estabelecido no comunicado de lançamento (R$ 26,57). Os ADRs da GOL estrearam em Nova York cotados a US$ 19,05, equivalente a uma valorização de 12% sobre o preço de referência (US$ 17,00 a unidade). "Às 12h13, as ações da companhia na Bolsa estão em R$ 28,84, em alta de 8,54%", dizia uma nota distribuída pelo serviço Broadcast, do Grupo Estado. Cerca de doze mil pessoas físicas registrariam pedidos na oferta de ações destinada ao varejo, segundo informava o próprio superintendente da Bovespa na época, Gilberto Mifano. Número bem superior ao registrado na operação de lançamento da Natura, que teve pedido de cinco mil pessoas.

Naquele 24 de junho de 2004, eu estava em Nova York com os meus irmãos Júnior e Ricardo, enquanto Joaquim tocava o sino da Bovespa em São Paulo. Foi um momento inesquecível em nossa jornada, com a indescritível sensação de orgulho ao ouvir o sino da maior bolsa de valores do mundo tocar e ver o logotipo da empresa entrando no painel de todos os monitores do saguão de negociações.

A emoção começou mesmo na chegada, pois o prédio da bolsa, em Wall Street, amanheceu todo enfeitado de laranja e com o nome da GOL espalhado por todos os lados. Algumas comissárias e comissários serviam *snacks* em carrinhos usados nas aeronaves na entrada do prédio. Comecei ali a passar por uma espécie de *flashback* de todos os momentos vividos desde a criação da empresa. Aquela era uma história muito recente, mas também muito intensa. Não custa lembrar: a empresa havia sido criada pouco mais de três anos antes.

E agora estávamos ali, vendo aquela vibração nas duas cidades mais importantes da América do Norte e da América do Sul. Equipes vestindo gravatas laranja, os diretores com o boné da GOL, sorrisos abertos e exibição de nossas virtudes e do nome do Brasil para a lista mais importante do mercado financeiro. O orgulho era inevitável.

Lembrei-me de minha infância na pequena cidade de Patrocínio. Da minha adolescência pacata em Brasília. Da minha faculdade e dos meus estudos nos tribunais superiores da capital federal. Do difícil período de mudança para São Paulo dez anos antes. Do histórico momento em que recebemos a primeira aeronave no aeroporto de Guarulhos. Do primeiro voo, em janeiro de 2001. Das primeiras reuniões de operação. Dos incidentes. Das vitórias. Dos erros e acertos. Dos trabalhos exaustivos que chegavam a quatorze ou dezesseis horas diárias. Da rotina desafiadora que se estendia até o fim de semana.

Toda aquela carga de energia despendida ao longo dos anos desembarcava ali, em Nova York. Com muitos feitos, não sem levar muita bordoada da concorrência e enfrentar alguns dissabores com o complicado mecanismo de relacionamento com o governo, aquele momento era de triunfo. A GOL passava a ser uma entre pouquíssimas empresas que conseguem atingir o ápice no mercado de capitais internacional. Era mais um reconhecimento de que estávamos no caminho certo e de que muitas vitórias ainda estariam por vir.

Captamos no total US$ 281 milhões naquele IPO – com o dólar na época a cerca de R$ 3, a captação significava quase R$ 1 bilhão. A rota do crescimento estava traçada com galhardia.

No mês seguinte, seríamos eleitos a Empresa do Ano pela prestigiada revista Exame, uma das mais importantes publicações de economia e negócios do país. Foi a primeira vez, desde o lançamento da premiação, em 1977, que uma companhia com pouco mais de três anos de vida recebia o título de melhor entre as melhores. O então ministro da Fazenda, Antonio Palocci, e centenas de empresários participariam da entrega do prêmio, em São Paulo. "Foi uma superagradável surpresa", definiu Júnior. "Trabalhamos muito para ser a melhor empresa de serviço de transporte [categoria em que a Gol também recebeu o troféu de MELHORES E MAIORES], mas ser

DESEJO DE GOL

eleita a melhor entre as melhores foi realmente uma surpresa." Júnior fez em seguida uma homenagem ao nosso pai.

A revista ainda destacava que a GOL tinha, como principal objetivo, a "democratização do transporte aéreo para a população brasileira". Graças à nossa estrutura, baseada em "aviões novos e padronizados, redução de supérfluos, alta tecnologia e produtividade", oferecíamos passagens até 25% mais baratas que as dos concorrentes e sempre surpreendíamos o mercado "com ações inovadoras, como a promoção de voos noturnos com tarifas similares às de passagens de ônibus". E lembrava parcerias com projetos voltados para educação, saúde e alimentação de jovens e crianças – em outubro de 2003, a GOL havia fechado um acordo com a Pastoral da Criança, tornando-se patrocinadora privada individual da entidade. A empresa também apoiava a Fundação Gol de Letra, o Projeto Felicidade e o Projeto Solidariedade ao Nordeste.

Ao anunciar a premiação, o jornal *O Estado de S. Paulo* registrou:

Até o momento, a companhia já transportou 17 milhões de passageiros, sendo que 9% deles viajavam de avião pela primeira vez. Em 2002, com apenas um ano de atuação, registrou o primeiro resultado financeiro positivo. Fechou o balanço com R$ 3,9 milhões de lucro líquido. O resultado de 2003 saltou para R$ 113 milhões, representando um crescimento de 2.798% em relação ao ano anterior e margem líquida de 8,1%. A ocupação média das aeronaves foi de 64% e a participação de mercado ficou em 19,24%. Este mês a empresa fez o lançamento inicial de ações simultaneamente nas Bolsas de Valores de São Paulo e Nova York.

Éramos notícia diariamente.

Uma explosão de euforia, que se acumularia ainda mais com a assinatura de um contrato de aquisição de 63 novas aeronaves 737–800 com a Boeing, cujos detalhes conto a seguir.

11

Pousando (com segurança) na curta pista do Santos Dumont

Localizada às margens da baía de Guanabara, a pista do aeroporto Santos Dumont é lendária. Não só porque oferece uma vista privilegiada do Pão de Açúcar e de uma das regiões mais deslumbrantes do Rio de Janeiro, mas também porque suas dimensões são, até hoje, uma característica singular do aeroporto.

A pista principal do Santos Dumont tem 1.323 metros. A auxiliar, 1.260 metros. Sem área de segurança no final e, menos ainda, uma zona de escape, que acaba sendo a própria baía, ela exibe uma dimensão curta demais para o alto fluxo de aviões recebidos pelo terminal, para o teste de perícia dos pilotos e para a qualidade das aeronaves. A pista é habitualmente classificada entre as mais desafiadoras do Brasil e do mundo. Inclui-se no grupo de pistas curtas, encravadas no meio de montanhas ou do mar e/ou que exigem habilidade e certificações especiais dos pilotos.

Em Tegucigalpa, Honduras, por exemplo, o Aeroporto Internacional Toncontín tem não só pistas curtas, como também montanhas, o que torna mais difícil a aterrissagem.

No Aeroporto de Paro, no Butão, as aterrisagens só podem acontecer durante o dia, e, até poucos anos atrás, somente oito pilotos no mundo tinham autorização para pousar nele. Localizado num vale, fica muito próximo de casas. Por conta das montanhas, os pilotos precisam confiar em pontos conhecidos para posicionar o avião, já que a pista só "aparece" no último minuto.

No aeroporto da cidade de Lukla, no Nepal, o piloto precisa primeiro passar por uma estreita rota entre o Himalaia e, assim que tocar no chão, iniciar o processo para parar a aeronave e escapar da parede de rochas ao fim da pista.

Pelas breves descrições acima, dá para perceber que o caso do Santos Dumont não é dos mais graves. Há outras pistas e situações bem mais complexas. Fatores de risco de uma pista não se resumem ao tamanho. Envolvem também a altitude e a temperatura. Quanto mais alta, pior. Quanto mais quente, também pior.

A pista de Bogotá, na Colômbia, por exemplo, é muito alta. Com isso, a resistência do ar é menor, e o piloto inevitavelmente precisa usar mais pista, ou frear mais rapidamente. Se para parar requer-se menos resistência, na decolagem é preciso mais velocidade.

Naquele ano incrível de 2004, mergulhamos numa missão histórica e desafiadora com a Boeing: desenvolver com a nossa parceira um sistema de freios mais eficiente, para que tornássemos a frenagem mais rápida do que o normal e operássemos nossas aeronaves de maneira mais segura e eficiente.

A encomenda envolvia a compra de 36 aeronaves com um pacote de inovações tecnológicas denominado SFP (*Short Field Performance*), desenvolvido em conjunto com a área de engenharia da Boeing para facilitar as operações em pistas curtas, como a do Santos Dumont. As primeiras aeronaves desembarcariam em 2006.

Foi também um dos projetos mais bonitos e interessantes de que pude participar. Aquela experiência vivida e adquirida durante a fabricação das aeronaves foi sensacional, não só para a nossa equipe de engenharia e manutenção, como também para nós, executivos da companhia. Realizar aquele contrato de milhares de folhas foi um grande desafio pessoal para mim, na condição de responsável pela parte legal da empresa. Pude testar todos os meus conhecimentos de contratação de cláusulas internacionais.

Nossa encomenda para a Boeing tinha nome: *Next Generation Short Field Performance*. Foi ele que permitiu o uso do 737–800 mesmo na ponte-aérea. O modelo personalizado para a GOL tinha mudanças nas asas que garantiam maior eficiência na decolagem e no pouso. Na decolagem, as asas se ampliam de tal forma e forçam o ar de uma maneira que se exige menos espaço para subir. No pouso, o ângulo mais vertical obtido por uma das partes móveis das asas "segura" mais o ar, dá peso ao avião e eficiência aos freios, o que resulta em menos pista também para parar. A tecnologia garantia menor ruído na decolagem, algo importantíssimo numa região como a da pista de Congonhas, por exemplo.

As entregas se dariam entre 2006 e 2012 – e foram cumpridas. A primeira aeronave desse modelo entrou na frota em 30 de julho de 2006. "A Boeing nos ajudou a expandir nossa capacidade de transporte na rota mais importante do Brasil", dizia, com diplomacia, o vice-presidente técnico da GOL, comandante David Barioni, em fevereiro de 2007, poucos dias antes do primeiro voo da ponte-aérea com o novo Boeing 737–800 SFP. Era de fato o resultado de uma parceria internacional, mas nossos engenheiros foram fundamentais para o sucesso da Boeing. E também aprenderam muito com os parceiros norte-americanos.

Um comunicado da companhia, assinado por Barioni, defendia: "Nossa principal preocupação é oferecer aos nossos clientes um transporte seguro e de qualidade. Sempre buscamos soluções inovadoras e não medimos esforços para adequar nossa frota às exigências de segurança do setor". As aeronaves chegaram muito bem recebidas pelo setor, pela mídia e pelos passageiros.

Tínhamos um objetivo claro depois da abertura de capital: crescer e iniciar nossa internacionalização. As novas aeronaves garantiam esse crescimento. Antes de selar a parceria com a Boeing, no entanto, enfrentamos uma negociação bastante árdua. Difícil, porém satisfatória para nossas contínuas ambições de crescimento no mercado aéreo brasileiro e sul-americano.

Havia um jogo complexo de interesses. Os franceses da Airbus avisavam:

– Nós conseguimos fazer – atestavam, com convicção.

Houve quem oferecesse "pacotes" adicionais de vantagens, mimos na casa do milhão de dólares por cada aeronave que indicássemos. Foram meses de idas e vindas. A certa altura, já certos de que o melhor seria trabalharmos com a Boeing, eu ia até a madrugada na discussão e preparação do contrato.

O *briefing* era, como eu disse, bastante claro: precisávamos de um pacote de aeronaves capazes de pousar no Santos Dumont, explorar melhor o aeroporto, aperfeiçoar a segurança e maximizar o uso dos novos aviões, adaptando-os para pistas mais curtas. Um engenheiro da GOL chegaria a morar durante seis meses em Everett, próximo a Seattle, no estado de Washington. É lá a sede da Boeing.

A versão SFP foi criada a pedido da GOL, mas acabaria sendo usada por outras empresas do mundo. De todo modo, foi o maior contrato assinado entre a fabricante norte-americana e uma empresa de aviação da América Latina. O contrato de 2004 seria ampliado em 2006, ano em que aumentaríamos o pedido para um total de 121 aeronaves 737–800 Next Generation (87 pedidos firmes e 34 opções de compra).

Em 2014, às vésperas da Copa do Mundo no Brasil, os engenheiros aeronáuticos da Boeing voltaram a suar a camisa para fazer seus aviões ficarem mais leves e operarem com mais passageiros nas apertadas pistas do Santos Dumont e Congonhas. A competição traria uma demanda concentrada de turistas e passageiros para o Rio. A exigência era inevitável: abrir a possibilidade de aeronaves ainda mais leves e com maior capacidade de assentos ocupados – mesmo em pistas curtas. Naquele ano, trocaram-se os freios de aço (padrão da indústria aeronáutica) por modelos de carbono, mesmo material usado em carros esportivos de luxo, como a Ferrari.

"Eles param o avião mais rapidamente e são 318 quilos mais leves", informava o portal UOL em 7 de abril de 2014, dois meses antes da abertura da Copa, na Arena Corinthians, em São Paulo. Até então, as aeronaves com a primeira versão do sistema SFP podiam transportar entre 151 e 168 passageiros, no máximo. Com o SFP 2.0, teriam capacidade para 177 passageiros – e o aumento real de passageiros transportados só foi menor do que os 20% permitidos pelo avanço tecnológico porque a GOL criou, na época, o espaço Comfort – uma inovação para permitir mais espaços (e mais conforto, claro) entre os assentos.

❖ ❖ ❖

A GOL encerraria o mágico ano de 2004 com a coroação internacional definitiva: em dezembro, começamos a operar o primeiro voo internacional da companhia. A rota ligava o aeroporto de Ezeiza, em Buenos Aires, na Argentina, ao aeroporto de Guarulhos, em São Paulo. Começamos com três voos diários e não pararíamos mais naquela rota, que se transformou numa das mais importantes da empresa.

Mais um passo era dado ali na consolidação de nosso negócio ligando as duas cidades mais importantes da América do Sul. Expandíamos mais uma vez nossos horizontes.

E assim, em meio a todos esses acontecimentos extraordinários descritos no capítulo anterior e neste, o ano de 2004 ficaria marcado também por um episódio inusitado.

12

"Armênia", o projeto servido em cores laranja e vermelho, com aulas do professor e recusa da assinatura do vice-presidente

José Viegas Filho é um diplomata altamente reconhecido, típico exemplo do alto nível dos diplomatas formados pelo Instituto Rio Branco. Homem de fala suave, tranquila e elegante, foi embaixador do Brasil na Dinamarca, no Peru e na Rússia. Desembarcou no Brasil vindo de Moscou para ocupar o importante Ministério da Defesa no início do governo do presidente Luiz Inácio Lula da Silva.

Nossos destinos se cruzaram no segundo semestre de 2004, quando vivemos alguns meses de intensas negociações num projeto denominado por Viegas como Projeto Armênia. Era uma referência à bandeira do país localizado na montanhosa região do Cáucaso, entre a Ásia e a Europa. A Armênia foi uma república soviética e tem na sua bandeira as cores laranja e vermelho.

A referência fazia sentido porque ele havia convocado para o projeto duas empresas: de um lado, a TAM, de cor vermelha; do outro, a GOL, de cor laranja. O motivo da convocação? Criar, juntamente com o governo, uma solução para as dificuldades operacionais da Varig. A empresa agonizava. Mais do que isso, a situação pré-falimentar causaria um grave problema ao governo, já que ela detinha quase 40% do mercado doméstico e 90% do mercado internacional operado por empresas brasileiras.

A preocupação do governo já provocara ações práticas desde os primeiros dias do primeiro mandato de Lula. Em fevereiro de 2003, por exemplo, TAM e Varig assinaram um acordo preliminar permitindo operações conjuntas e voos compartilhados entre as duas empresas. Era uma tentativa com cheiro de fusão no ar. O governo enxergava aquele acordo como saída para a crise da Varig. E ele foi selado em dez dias, entre janeiro e fevereiro de 2003 – portanto, quando o governo dava seus passos iniciais.

Manoel Guedes, presidente da Varig, e Daniel Mandelli Martin, então presidente da TAM, assinaram um acordo nos primeiros dias de fevereiro com promessa de amor duradouro, com a chancela do ministro da Defesa, José Viegas Filho. Nascia ali um documento de intenções que, se desse certo, resultaria na fusão das duas empresas em seis meses.

"É o início do namoro, mas pretendemos chegar ao casamento", prometeu Guedes, da Varig. "A intenção é criar uma grande empresa capaz de atrair novos investidores", completou Mandelli, da TAM. "Estamos dando um passo definitivo para a reestruturação do setor aéreo", comemorou o ministro Viegas. "Agora estamos todos na mesma aeronave", brincou Luiz Fernando Furlan, então ministro do Desenvolvimento. Tudo dito numa cerimônia solene no Ministério da Defesa.

Nos bastidores, o governo jogou pesado para forçar um acordo entre as duas companhias. Com o tempo, no entanto, a fusão deixou de ser opção. Meses se passaram, e a situação calamitosa da Varig se aprofundava.

Diante disso, naquele momento de 2004, o governo organizou um projeto que, resumidamente, fatiava a companhia em duas. Passava para a GOL metade de suas operações domésticas e os voos da América do Sul, enquanto a outra metade das operações domésticas e seus voos de longo curso, especialmente para a Europa e os Estados Unidos, iam para a TAM. O acordo contaria com o aporte de capital do Banco Nacional do Desenvolvimento Econômico e Social (BNDES).

As discussões relacionadas a esse projeto consumiram diversos dias de trabalho e extensas e sigilosas reuniões ocorridas num hotel de Brasília e nos gabinetes ministeriais. Representantes da GOL, da TAM, da recém-criada ANAC, do Ministério da Defesa, do BNDES. Executivos, diretores, assessores, advogados – era um time seleto, porém amplo.

Além de Viegas, participaram das conversas o então presidente do BNDES, Carlos Lessa; eu, Júnior e alguns advogados, pela GOL; Marco Antonio Bologna e Líbano Barroso, respectivamente CEO e CFO da TAM na época, juntamente com seus advogados. E, claro, o ministro Viegas.

Foi uma semana em Brasília de diversos debates e discussões que mereceriam um livro à parte para contar todos os detalhes. E mais outra de conversas concentradas para dar continuidade ao projeto. Uma experiência incrível de diversos acontecimentos que realmente poderiam modificar completamente o futuro da aviação no país.

Essas discussões chegaram num trabalho final que seria a intervenção do governo na operação e gestão da Varig. Seria uma verdadeira encampação do negócio, transformando-a numa empresa do Estado, portanto, estatizada.

Esse movimento teria a participação de reforços fundamentais: o jornalista Mario Rosa atuaria como assessor de gerenciamento de crise e gestão de mudança, e um grande escritório de advocacia de São Paulo, Leite Tosto e Barros, cuidaria de todo o aparato legal de suporte. Do lado da TAM, o escritório Pinheiro Neto.

Após essa encampação, o BNDES faria um aporte de R$ 1 bilhão na empresa para sanear suas dívidas. Feito esse aporte, o governo fatiaria a Varig em duas empresas, que seriam incorporadas às operações da GOL e da TAM, convertendo esses ativos incorporados em ações das duas empresas, que ficariam na posse do BNDES, sem haver assim qualquer solução de continuidade. Nenhum passageiro seria comprometido.

Estávamos na chamada sinuca de bico. Tínhamos acabado de abrir o capital da empresa na Bolsa de Valores, poderíamos, do dia para a noite, triplicar nosso tamanho, mas perderíamos toda a governança corporativa, devido à presença de um acionista interventor – o governo federal, representado pelo BNDES, com amplo poder de voto.

O sentimento era dúbio, um *mix* de sensações e aspectos positivos e negativos. Perdas e ganhos poderiam ocorrer quase simultaneamente. Se era um crescimento tentador à vista, tratava-se de uma perda de poder e controle da empresa bastante preocupante.

No meio dessas dúvidas todas, houve algumas cenas inusitadas e situações curiosas. Por exemplo, a cada reunião ocorrida numa das salas do Hotel St. Paul Plaza alugadas pelas empresas, que contavam com a presença de Carlos Lessa, os presentes precisavam assistir a pretensas aulas do professor que presidia o BNDES. Ele era dono, claro, de uma oratória de alta qualidade, um professor de méritos inquestionáveis, mas com métodos e objetividade muitas vezes incompatíveis com o cargo que ocupava. Eram ótimas aulas, mas que exigiam de todos tempo e paciência.

Nas reuniões ocorridas na residência oficial do ministro da Defesa, o traço singular eram os drinques servidos. Até hoje não sei o nome, talvez o clássico Garibaldi, preparado com suco de laranja e Campari, que garantiam a aparição em cores laranja e vermelho – as mesmas cores presentes na bandeira da Armênia e na dupla GOL–TAM. Os drinques eram servidos por garçons vestidos de terno, claro, e luvas brancas. Viegas gostava dos detalhes.

Uma autoridade jamais esteve em qualquer das reuniões ocorridas de maneira concentrada naquelas duas semanas: José Dirceu. Mas era a presença mais sentida naqueles encontros. Havia um claro interesse do todo-poderoso ministro-chefe da Casa Civil na solução para a Varig.

Aquelas reuniões sigilosas de 2004 não vazaram para a imprensa nas semanas iniciais. Mas em outubro o assunto corria pela mídia e pelos gabinetes. Em 7 de outubro, por exemplo, assim informava uma reportagem do jornal *Valor Econômico*:

> O BNDES vai se tornar acionista da Varig, dentro do plano de salvamento que vem sendo preparado pelo governo. A participação será minoritária porque já está decidido que a empresa não será estatizada. Esta foi, segundo informou ao *Valor* um assessor graduado do governo, a maneira encontrada para viabilizar a participação do banco estatal no socorro à Varig.

O governo tentava assim se esquivar da ideia de uma estatização da Varig. O *Valor* publicava a informação aproveitando também um depoimento do ministro Viegas à Comissão de Desenvolvimento Econômico da Câmara dos Deputados. Aos parlamentares, o ministro dissera: "Não há solução de mercado para a Varig". A empresa exibia uma dívida de R$ 7 bilhões que, segundo o ministro, era um "óbice intransponível à plena recuperação" da companhia. "Não há R$ 7 bilhões no mercado. O pagamento dela não é praticável com um empréstimo bancário", explicou Viegas. Segundo o jornal, depois de prestar depoimento à Câmara, o ministro se reuniu com o então vice-presidente do BNDES, Darc Costa, para tratar do caso. "Se o governo não fizer nada, a Varig acaba", resumia o ministro, completando: "O governo não deixará a Varig parar de funcionar".

❖ ❖ ❖

DESEJO DE GOL

Depois daqueles frenéticos dias, passou algum tempo até que uma medida provisória (MP) ficasse pronta. Tempo suficiente para nos depararmos com dois problemas gigantescos que atrapalhariam o avanço da MP. O primeiro deles foi duplo – o agravamento do escândalo do Mensalão e o enfraquecimento do ministro José Dirceu.

O chefe da Casa Civil ocupou o principal posto de coordenação política do governo, sendo tratado diariamente, desde janeiro de 2003, como o homem forte de Lula. Não raro as referências a ele seguiam a linha do "superministro" ou do "primeiro-ministro". Em fevereiro de 2004, porém, surgiram os primeiros abalos nessa condição, quando a revista *Época* divulgou trechos de um vídeo de 2002 em que aparece Waldomiro Diniz, o subchefe da Casa Civil e amigo pessoal de Dirceu, extorquindo Carlos Augusto de Almeida Ramos, mais conhecido como Carlinhos Cachoeira. A extorsão se destinava a arrecadar fundos para a campanha eleitoral do PT no Rio.

Dirceu resistiu àquela crise ao longo de 2004, mas aquele segundo semestre deflagraria o início do seu calvário definitivo. Foi quando, em setembro, a revista *Veja* e o *Jornal do Brasil* publicaram reportagens que denunciavam o esquema de compra de votos para partidos da base de apoio ao governo – PT à frente. Começava ali a crise definitiva que balançaria o governo, derrubaria Dirceu em junho de 2005 e levaria muitos petistas à prisão, incluindo o próprio ministro-chefe da Casa Civil.

Como a história mostra, o governo virou do avesso, o país reduziu o ritmo e todos aqueles que estavam à mesa de conversas desapareceram. O assunto se perdeu na urgência de outros temas mais importantes.

O segundo grande problema foi a saída do ministro Viegas. Deu-se em novembro de 2004, segundo a imprensa por estar desgastado com as Forças Armadas e com o presidente Lula. Viegas foi substituído pelo próprio vice-presidente da República, José Alencar. Com a mudança no comando do Ministério da Defesa, o Projeto Armênia entrou em completo esquecimento.

Mas, em dezembro, tínhamos uma medida provisória nas mãos. Pronta para a assinatura presidencial, apesar de tudo. Com a MP, dava-se o passo inicial para a consolidação do que fora acordado. Confirmava a determinação do governo para intervir diretamente na Varig. Estava tudo alinhado entre as partes. Faltava apenas a assinatura essencial para fazer a MP virar lei: a do presidente Lula.

Ocorre que o presidente estava fora do país na semana definida para a assinatura da MP. Quem deveria assiná-la, portanto, era o presidente em exercício, o vice-presidente José Alencar, e também ministro da Defesa.

Famoso e bem-sucedido empresário industrial mineiro, Alencar fora senador e fiador de Lula e do PT na vitoriosa campanha presidencial que os levara ao poder. Ele tinha um amplo histórico desenvolvimentista, mas, ao mesmo tempo, era um ardoroso defensor e protetor da iniciativa privada.

– Presidente, falta a assinatura – avisaram-lhe os assessores, reforçando o papel da medida provisória para salvar a Varig.

– Jamais assinarei uma medida provisória como essa – ele teria respondido, segundo nos informaram.

Sim, para surpresa de todos, o vice-presidente simplesmente se recusou a assinar. No seu argumento, jamais concordaria com uma intervenção governamental em qualquer empresa privada brasileira. Na prática, era o que ocorria com aquela MP. Portanto, ele, Alencar, não promoveria a decretação da estatização da Varig, mesmo que fosse para privatizá-la em seguida.

Não houve o menor espaço para diálogo. Assessores da Casa Civil e, segundo consta, o próprio ministro José Dirceu tentaram convencê-lo. Em vão. Se a Casa Civil persistisse nessa intenção, avisava o presidente em exercício, que aguardasse o retorno do presidente Lula. E assim, o projeto foi temporariamente adiado. Lula logo voltaria e encerraria o assunto, garantiam os diretores do BNDES e os representantes da Casa Civil.

Da mesma forma que nasceu, a ideia forjada no Projeto Armênia logo morreria. Ficou apenas na memória de quem participou de suas discussões.

Mais experiências e lições aprendidas num ano incrível como foi 2004, que, além de todos os assuntos profissionais, teve no mês de abril a minha explosão de felicidade com o nascimento de minha amada e querida filha Manoela.

A bem da verdade, não queríamos aquele projeto. Naquelas reuniões de agosto a novembro, mal havíamos entrado no mercado de capitais. Tínhamos alguns meses de uma nova empresa gestada, fruto da abertura de capital. Trabalhamos arduamente, por ser inevitável, mas no fundo desejando que não acontecesse.

E não aconteceu.

13

Tudo perfeito

A economia foi, em 2005, uma tábua da salvação para o governo do presidente Luiz Inácio Lula da Silva – e, claro, para o Brasil. Abalada pelas denúncias do Mensalão (o esquema do governo para compra de apoio de deputados, até hoje negado por integrantes do partido de Lula), a administração do PT teve uma inestimável ajuda dos números econômicos: as exportações bateram recordes, a inflação manteve-se sob controle e em queda em relação aos anos anteriores, e o governo conseguiu captar dinheiro considerável no exterior, com emissão de títulos. O presidente Lula quase caiu naquele ano, mas a economia não se assustou com a crise política, salvo em poucos momentos, o que deu fôlego ao presidente para o seu projeto de reeleição no ano seguinte.

Nem todas as empresas, nem todos os setores da economia aproveitaram a boa onda econômica e a melhora da imagem do Brasil diante do mundo naquele ano. Era preciso uma boa dose de competência, capacidade de enxergar as oportunidades e uma gestão certeira, suficientes para gerar os resultados esperados. Foi o caso da GOL. O ano de 2005 acabou marcado pelo nosso contínuo crescimento. Em dezembro de 2004 havíamos chegado à marca dos 24% de *market share*, 23,5 milhões de passageiros transportados desde o início de nossa operação, expansão para o mercado internacional e lucro líquido beirando os R$ 390 milhões. Um ano depois, porém, os números eram ainda mais robustos e reafirmavam nosso crescimento sustentável. Contínuo e com rentabilidade.

"Não há um recorde na história da aviação brasileira que não tenha sido batido", destacou o Relatório Anual da GOL de 2005.

> Nenhuma empresa tinha conseguido transportar um milhão de passageiros em menos de um ano de existência – fizemos isso ao final de sete meses de operações. Recorde de tempo de solo, recorde de uso de equipamento com alta eficiência, indicadores financeiros, em todas as áreas temos colhido os frutos de nosso trabalho e, acima de tudo, mantemos nosso elevado padrão de segurança. O crescimento ordenado e disciplinado de uma gestão eficiente fez a GOL atingir a vice-liderança nacional do setor aéreo.

O relatório citava os números dignos de comemoração: pelo quarto ano consecutivo, registramos evolução recorde no lucro líquido de R$ 513,2 milhões – um crescimento anual de 33,4% em relação a 2004, com receita de R$ 2,7 bilhões e margem líquida de 19,2%. Nossa frota de aeronaves Boeing 737 pulou de 27 para 42, sem causar elevação de custos – ao contrário, registrando redução no CASK. Em outras palavras, a GOL mostrava que sabia crescer sem sacrificar seus altos índices de lucratividade.

O bom desempenho de nossa concorrente, a TAM, acompanhava o contínuo declínio da Varig, que a cada dia entrava numa rota maior de colisão. Os desmandos gerenciais da ex-todo-poderosa Varig se agravavam à medida que os recursos financeiros se exauriam. Também em 2005, a Vasp pararia de voar em definitivo, sem exibir condições financeiras de suportar sua operação. E mesmo com a criação da empresa BRA, o mercado abriu ainda mais espaço para nosso contínuo crescimento.

Seguíamos colhendo os frutos de nossa estratégia de empresa de baixo custo, o que nos fazia atingir o objetivo de democratizar o transporte aéreo. A população deixava de viajar de ônibus para viajar de avião. A cada dia que passava, mais pessoas entendiam como era viável usar o modal aéreo para fazer suas viagens. Pessoas que, até ali, jamais imaginavam tal façanha passaram a usar o avião recorrentemente. Ao final de 2005, havíamos transportado 36 milhões de passageiros acumulados, dos quais aproximadamente 10% voaram pela primeira vez. Somente em 2005 foram 13 milhões de passageiros, correspondendo a um crescimento de 41% em comparação a 2004. Exibíamos também o melhor índice de pontualidade da indústria naquele período final de 2005.

Do ponto de vista financeiro era um excelente negócio, com uma valorização acima da média nacional. Em menos de um ano já fazíamos parte do famoso índice Bovespa, formado pelo conjunto de empresas cujas ações eram as mais negociadas no mercado. Diante dessa valorização, o fundo AIG fez a venda final de suas ações, conseguindo resultados excepcionais: multiplicou o valor investido em dez vezes. Isso com pouco mais de dois anos de investimento – o grupo AIG havia adquirido uma participação minoritária na companhia em janeiro de 2003, injetando cerca de US$ 26 milhões na GOL, na época ainda uma empresa de capital fechado.

Fizemos o dever de casa na estratégia de crescimento, nos padrões de segurança e eficiência e na governança corporativa, e o resultado estava ali: o fundo levantaria US$ 260 milhões ao vender sua participação na GOL, certamente um dos maiores retornos de fundos de *private equity* no Brasil. Até hoje, quando me encontro com alguns executivos do grupo AIG, eles me lembram daqueles momentos gloriosos que passamos.

❖ ❖ ❖

O ano de 2006 prometia seguir na mesma velocidade de cruzeiro. O calvário político do governo, iniciado em setembro de 2004 e prorrogado ao longo de todo o ano de 2005, parecia atenuado. A crise política se mostrava controlada, e Lula caminharia para a reeleição. O presidente, aliás, parecia inabalável, com um grande prestígio popular. As denúncias de corrupção que se alastravam pelo governo, pelo PT e pelos partidos que o apoiavam não atingiam Lula.

Enquanto isso, a recém-criada BRA não aguentou a força de seus concorrentes mais eficientes e também parou suas operações – teve vida curta. O fato é que o mercado nacional era bastante competitivo, e quem não tinha uma boa estrutura simplesmente não conseguia acompanhar o ritmo dessa competição. Por outro lado, a Varig entrava num processo de recuperação judicial, graças à novíssima e ainda não testada nova lei de falências. A lei trazia inovações para recuperar empresas em dificuldades financeiras. Nascia ali, portanto, uma possibilidade de sobrevida para a empresa já em estado falimentar.

Apesar das incertezas, isso gerou um alerta entre nós. Ela poderia continuar no mercado, algo que não necessariamente seria um problema para a GOL – é preciso lembrar que nascemos com a Varig em franca atividade. O risco era de outra ordem: a possibilidade de que um novo grupo pudesse estabelecer um ambiente ainda mais aguerrido.

Parece difícil de acreditar, mas o fato é que poucas coisas são melhores para uma grande e eficiente empresa do que o espírito de concorrência saudável. O cenário de mais competição despertava um alerta positivo para continuarmos buscando mais eficiência a cada dia. No mercado aéreo, cada dia surge uma novidade. Estar atento em tempo integral é uma das funções mais elementares dos executivos. Sabemos que o jogo nunca está ganho. O apito final nunca soa. Não há espaço para zona de conforto. Uma vitória num dia pode ser seguida de um grande revés na manhã seguinte. Guinadas são rotineiras.

Para fazermos frente a esse mercado potencialmente mais competitivo, em agosto de 2006 recebemos nossa primeira aeronave Boeing 737–800 SFP novinha de fábrica, com todos os incrementos e melhorias de *performance* desenvolvidos em conjunto com a Boeing. Essa aeronave atendia quase todos os aeroportos operados por nós com a maior quantidade possível de assentos disponíveis. Isso reduziria bastante nosso principal índice de desempenho, o CASK, do qual já falei.

Nossa renovação de frota estava começando, e essas aeronaves nos dariam um poder ainda maior de fogo e combate aos nossos concorrentes, pois realmente exibiam um desempenho extraordinário. Naquele mesmo ano, receberíamos dez aeronaves do mesmo modelo, e outras cem nos anos seguintes. Tínhamos um plano de frota bastante agressivo e muito bem programado com nossa parceira fabricante dos Estados Unidos. Encerraríamos 2006 com 65 aviões, chegando à marca de seiscentos voos diários. Em 2007, seriam oitenta aeronaves.

O ano de 2006 seria marcado por um acontecimento especial para mim – meu querido e amado filho Felipe nasceu no mês de maio. A cada dia que passava eu me sentia ainda mais realizado, pessoal e profissionalmente.

E, em setembro, inauguramos o Centro de Manutenção de Aeronaves no Aeroporto Internacional de Confins, em Belo Horizonte, oferecendo tecnologia de última geração para a manutenção das aeronaves da GOL e contribuindo com uma redução de custos de mais de R$ 4,5 milhões ao ano. Mas também seria o mês de um abalo trágico. O nosso 11 de Setembro passaria a ser o 29 de setembro.

14

Uma tragédia no céu da Amazônia

O dia 29 de setembro de 2006 era uma sexta-feira normal. Ou pelo menos parecia ser assim, uma sexta-feira como qualquer outra. As operações de voo estavam correndo muito bem, um dia sem grandes surpresas. Resolvi sair do escritório um pouco mais cedo, por volta das dezoito horas. Passados exatos dois minutos de minha saída, recebi uma ligação do meu irmão Júnior.

– Onde você está? – ele perguntou.

– Na esquina do escritório, acabei de sair – respondi.

– É melhor você voltar. Estamos abrindo nossa sala de crise. Uma aeronave desapareceu e não estamos conseguindo contato.

Havia um sentimento de inquietação na voz dele, intrigado com a falta de contato com o voo 1907, que seguia de Manaus para Brasília.

Nem me apressei a perguntar qual era o voo nem a aeronave. O mais importante era voltar imediatamente.

– Ok, estou voltando agora – disse-lhe.

Ao chegar à GOL, a sala de crise estava montada. Representantes de cada departamento da empresa estavam na sala. Era uma equipe bastante preparada para enfrentar situações de risco e incerteza. A empresa sempre fez treinamentos preparatórios para quando essa sala fosse formada. Agora, porém, não se tratava de nenhum treinamento. Era uma ocorrência real. O nível de tensão estava no seu ápice.

A informação imediata que recebi: uma aeronave 737–800 SFP, prefixo PR–GTD, que fazia a rota de Manaus para Brasília no voo GOL 1907 havia desaparecido e não respondia a nenhum contato havia mais de uma hora. Nosso protocolo mandava aguardarmos o tempo em que a aeronave ainda poderia estar voando de acordo com a quantidade de combustível de sua decolagem. Somente após esse tempo de espera é que poderíamos dizer que ela não estaria mais voando e, por consequência, teria pousado em algum lugar ou, na pior hipótese, caído. Com base nisso, apesar de desaparecida desde as dezessete horas, só conseguiríamos atestar que não estaria mais voando por volta das vinte horas.

Não à toa, o primeiro comunicado emitido pela GOL naquela noite era vago, apenas com as informações mais essenciais até ali:

> A GOL informa que o voo 1907, que partiu do aeroporto de Manaus, às 15h35 (horário de Brasília) desta sexta-feira, e tinha chegada prevista no aeroporto de Brasília, às 18h12, não tem o seu pouso confirmado até o momento. Estamos aguardando informações oficiais das autoridades aeronáuticas sobre o voo. A GOL divulgará mais informações assim que estiverem disponíveis.

A apreensão era total e absoluta, especialmente depois de recebermos a notícia de que uma aeronave Legacy, da Embraer, havia pousado com uma pequena avaria na Base Aérea do Cachimbo, no Mato Grosso, num local muito próximo de onde perdemos contato com nossa aeronave. A região estava localizada no meio da selva amazônica, de difícil acesso e com poucas cidades ao redor. Uma possibilidade mais otimista rondava o ar naquela noite: a aeronave poderia ter pousado na selva ou em alguma fazenda, sem maiores danos aos passageiros.

As informações não eram precisas. O lado positivo é que todos os que estavam a bordo da aeronave da Embraer estavam bem. Eram executivos da empresa ExcelAire e da Embraer, que tinham vindo ao Brasil comprar uma aeronave executiva da fabricante brasileira. Também no jatinho estava o jornalista Joe Sharkey, que viajara a convite da ExcelAir para fazer uma reportagem para a revista *Business Jet Traveller*. Os ocupantes ouviram um barulho e sentiram um balanço durante o voo e, com isso, tiveram de fazer um pouso forçado no primeiro aeródromo encontrado, que foi o da base aérea. Mais tarde disseram que o Legacy ainda precisou voar durante trinta minutos até achar um local para o pouso. (O jornalista descreveria sua experiência a bordo do Legacy num artigo para o jornal *The New York Times*, intitulado "Colliding With Death at 37,000 Feet, and Living", publicado poucos dias depois.)

Nossa esperança se reduzia a cada minuto que passava. Já sabíamos que a aeronave tinha 154 pessoas, das quais 148 eram passageiros e seis, tripulantes. Essas informações estariam no nosso segundo comunicado, que complementava as informações do primeiro e disponibilizava um número gratuito para que os familiares obtivessem informações adicionais. A aeronave era do novo modelo, tinha menos de duzentas horas de voo e havia sido incorporada à nossa frota apenas 24 dias antes. Mais importante: ela estava com todos os sistemas em ordem, até porque acabara de chegar do fabricante.

Não havia nenhuma menção a qualquer tipo de problema operacional. O clima estava perfeito. O céu, azul. O controle de tráfego aéreo não reportava nenhuma condição adversa para o voo. Não havia o que fazer, o jeito era esperar por algum milagre. Mas enquanto o milagre não vinha, começamos a nos preparar para o pior, cuidando da comunicação para a imprensa e preparando os aeroportos de origem (Manaus), destino (Brasília) e os demais dezenove aeroportos onde alguns passageiros teriam seu destino final, a partir da conexão em Brasília.

Começamos então a mapear e buscar todos os detalhes e as informações pessoais dos passageiros e tripulantes a bordo. Conectamos a nossa seguradora e seus corretores para já ficarem a postos. Deixamos a sala de crise totalmente preparada com informações centralizadas e periódicas. O terceiro comunicado informava a lista de passageiros e tripulantes embarcados em Manaus, lista que poderia ser acessada também num *website* específico para isso.

Na sala de crise estava toda a diretoria – incluindo o presidente, o vice-presidente e o líder da operação, comandante Barioni, que coordenava a equipe. Como responsável pela área jurídica da empresa, eu coordenava os trabalhos junto à seguradora, tentando separar a forte emoção daquele momento e o profissionalismo e a impessoalidade exigidos pela situação. Não podíamos deixar o momento nos abalar, nem parar de viver a realidade de uma situação que parecia, a cada minuto, converter-se em tragédia.

Vencido o tempo de consumo do combustível, não tínhamos mais o que fazer a não ser declarar que a aeronave não poderia mais estar voando. Nenhum aeroporto da região, nenhuma pista de pouso em fazendas ao longo de suas três horas de autonomia, nada indicava qualquer possibilidade de a aeronave ter descido ao solo com segurança e sem danos. As únicas opções restantes seriam um pouso forçado na selva com características bem severas e árvores com mais de trinta metros de altura, ou mesmo alguma queda sem explicação aparente.

Comunicamos, enfim, aquilo que a imprensa já nos forçava a falar: a aeronave havia desaparecido de nossos controles e caído. A admissão viria no quarto comunicado emitido após o sumiço da aeronave, divulgado na manhã seguinte:

A GOL, profundamente comovida, cumpre com o dever de informar
que ocorreu um acidente com o voo 1907, que partiu ontem, sexta-feira

(29), às 15h35 (horário de Brasília) do aeroporto de Manaus e tinha chegada prevista ao aeroporto de Brasília às 18h12. O último contato com a aeronave ocorreu às 17h. A aeronave, um Boeing 737–800, foi recebida nova do fabricante no último dia 12 de setembro e tem apenas 200 horas de voo.

Estavam a bordo 154 pessoas, sendo que 148 delas eram passageiros e 6 tripulantes. Os destroços da aeronave foram localizados 30 km a leste do município de Peixoto Azevedo (MT). Ainda não há confirmação de sobreviventes.

As autoridades aeronáuticas estão apurando as circunstâncias do acidente. A GOL vai divulgar continuamente informações assim que elas estiverem disponíveis.

A GOL Linhas Aéreas iniciou suas operações em 15 de janeiro de 2001, tendo voado mais de 650 mil horas sem nenhum acidente fatal.

A empresa faz questão de manter a transparência com os familiares, imprensa e com o público em geral. Para tanto, as informações atualizadas sobre o ocorrido poderão ser encontradas neste site, no link últimos boletins.

Os familiares dos passageiros dispõem do seguinte telefone gratuito para obter informações adicionais: 0800-2800749.

A empresa, desde já, se solidariza com os familiares e amigos das vítimas.

Era inevitável – e necessário – pontuar duas coisas essenciais naquele comunicado fatídico: primeiro, estávamos profundamente comovidos; segundo, em mais de cinco anos de existência e 650 mil horas voadas, não havíamos enfrentado até ali nenhum acidente fatal. A comoção era generalizada, da sala de crise a todos os departamentos da empresa, da direção aos estagiários. As esperanças de algo menos doloroso sumiram. Precisávamos, a partir dali, encontrar onde a aeronave caíra e descobrir se poderíamos ter sobreviventes com a queda – por menos provável que isso pudesse ser.

Como em todo acidente de avião, o assunto tomou conta da imprensa, especialmente dos telejornais. As mídias sociais ainda não tinham tanta força como atualmente, e as versões *online* dos jornais também ainda não eram tão fortes e massivas como hoje. Mas a notícia, claro, espalhou-se de maneira intensa e veloz, iniciando assim a fase mais triste da nossa companhia desde a sua criação. Estávamos trazendo uma nova forma de realizar o transporte aéreo. Tínhamos objetivos claros de democratizar o transporte e fazer um Brasil mais integrado e forte. Éramos quatro garotos desbravadores e dispostos a fazer de tudo para melhorar a mobilidade das pessoas. Já havíamos transportado mais de quarenta milhões de passageiros nesse período, nada menos que a metade do que a Varig transportou em seus 75 anos de operação. Mas, naquele instante, todo o nosso orgulho e nossas realizações foram colocados de lado. Estávamos vivendo nosso momento mais angustiante e trágico.

Havia um sentimento de tristeza misturado com angústia quase paralisante. Tudo o que havíamos feito no passado estava em xeque. Os mais de três milhões de pousos e decolagens, os milhares de horas de voo realizadas com total segurança passavam a ser colocados em dúvida. A imprensa noticiava o acidente e alguns oportunistas já começavam a questionar a segurança de nossa operação. Lamentavelmente, passamos a ter não só a tragédia para administrar, como também a rebeldia da turma do contra.

Preferimos ignorar a segunda parte. O foco era tentar encontrar sobreviventes. Nada mais importante do que isso naquele momento. Precisávamos descobrir onde, afinal, a aeronave estava para então tomar as decisões necessárias para resgatá-la. O restante era acessório. Eventuais abalos de imagem seriam resolvidos depois. Nessa hora é a vida que importa. Nada mais.

Até o fim da noite de 29 de setembro, o trabalho principal foi informar os detalhes dos passageiros e tripulantes, envolver todos os fornecedores, a fabricante Boeing e a seguradora, montar equipes de suporte em cada aeroporto, criar relatórios internos a cada trinta minutos e comunicados à imprensa a cada hora, até as onze da noite daquele dia.

Também procurávamos mais informações sobre o Legacy que pousara na base do Cachimbo. E na busca dessas informações descobrimos que houve uma colisão com algum objeto grande, que quebrou o *winglet* do jatinho. O *winglet* é um componente aerodinâmico posicionado na extremidade livre da asa de uma aeronave. É uma espécie de aba, às vezes vertical, às vezes inclinada. Sua função é reduzir o arrasto induzido. Essa peça bateu na cauda da mesma aeronave. Aquilo poderia ser o indicativo de que o Legacy colidira com o nosso avião. Tínhamos, a partir dali, uma referência de em quais áreas seriam realizadas as buscas.

Ninguém foi para casa naquela noite. Havia mais de duzentas pessoas trabalhando na empresa. Não dava para sair sem antes saber o que realmente havia acontecido. Mas como era noite, as buscas no meio da selva seriam inúteis. E elas só começaram na manhã seguinte, um sábado, com aeronaves da Força Aérea Brasileira (FAB) na região próxima onde o Legacy alegara ter colidido com algum objeto.

No final da tarde do sábado começaram a aparecer os primeiros indícios de que o avião se desintegrara no ar. Alguns pequenos pedaços de peças foram encontrados, espalhados por um raio de três quilômetros. A chance de haver algum sobrevivente caiu a zero. Impossível sobreviver a uma queda de 37 mil pés, equivalente a onze mil metros de altitude, numa aeronave desintegrada.

Embora já tivéssemos consciência desde a noite anterior de que a chance de sobreviventes era reduzidíssima, a confirmação abalou toda a equipe. Uma tristeza generalizada baixou na empresa. Mesmo em dia de folga para muitos, quase todos os funcionários foram trabalhar. Tínhamos um grande desafio nas mãos: continuar tocando as operações da empresa e, ao mesmo tempo, administrar uma situação de crise. Precisávamos manter a equipe motivada e atenta para continuar realizando nossas obrigações sociais, sem deixar que essa tragédia nos imobilizasse. Era algo difícil de suportar, mas a única forma de tentar minimizar a dor e a perda das famílias seria estarmos focados e atentos, mantendo o moral da equipe em alta e nossa fé e confiança em todo o nosso time.

Um sexto comunicado seria divulgado na noite de sábado, com informações sobre os destinos dos passageiros do voo 1907. O comunicado também dava um perfil do comandante e do copiloto. O comandante Décio Chaves Pinto, 44 anos, casado, havia iniciado a carreira de piloto muito jovem, tendo ingressado na Transbrasil em 1986, aos 24 anos, e na GOL em outubro de 2001. Também atuava como instrutor de rota. Thiago Jordão Cruso, o copiloto, tinha 29 anos, era solteiro, e ingressara na GOL em junho de 2002.

A tripulação daquele voo incluía quatro comissários: Renata Souza Fernandes, Rodrigo de Paula Lima, Sandra da Silva Martins e Nerisvan Dackson Canuto da Silva. Renata estava na GOL desde o início – havia entrado na companhia em janeiro de 2001 –, e Nerisvan era o mais jovem na empresa. Tinha menos de sete meses de trabalho na GOL.

❖ ❖ ❖

Foram certamente os dias de operação mais complicados de nossa história.

Dividimos a empresa em duas. Uma delas cuidaria da continuidade, dos cinquenta mil passageiros transportados diariamente, de oito mil colaboradores e da responsabilidade perante a sociedade. A outra cuidaria do acidente. Continuaria os esforços para descobrir os motivos, acompanhar as buscas pelos corpos, identificá-los e atender às necessidades dos familiares. É um trabalho árduo, complexo, com dificuldade agravada pela mistura de sentimentos. Estamos falando da vida de 154 pessoas que confiaram em nossos serviços – e, devido a uma circunstância totalmente fora do nosso controle, não pudemos cumprir.

Minha sensação pessoal era de incompetência e frustração. Nossos clientes confiam as vidas a nós, e me sinto orgulhoso de atualmente transportar cerca de cem mil passageiros diariamente na operação aérea e quase 1,5 milhão de passageiros diariamente por via terrestre. É uma grande honra, claro, receber essa confiança das pessoas. É o que nos faz viver com mais intensidade. Quando ocorre um acidente como aquele de setembro de 2006, essa confiança desmorona. Quando não se consegue levar seus clientes aos seus destinos finais, é como um médico que perde um paciente na mesa de cirurgia. É a sua profissão, acidentes ocorrem, inclusive de maneira involuntária, mas quando acontece o abalo é imenso e inevitável.

Diante da terrível sensação de impotência, é preciso que nos superemos. É preciso devolver ao máximo a dignidade aos nossos clientes e colaboradores que morreram na tragédia. É preciso buscar minimizar o efeito dessa perda aos familiares.

Um comunicado emitido na tarde de domingo, dois dias depois do acidente, reforçava essa preocupação:

> A GOL respeita os sentimentos dos familiares e amigos das vítimas e compreende suas ansiedade e angústia. Por isso toma o cuidado de não divulgar versões sem confirmação. [...] Todas as informações confirmadas que chegam à empresa são divulgadas por meio de seus comunicados. O presidente da companhia, Constantino de Oliveira Júnior, reafirma que "a prioridade da GOL é prestar toda a assistência necessária às famílias e auxiliar as autoridades na busca de sobreviventes". Essa assistência inclui hospedagem, transporte, alimentação, assistência médica e psicológica, custeio de funerais.

Como se pode imaginar, tarefa nada simples e muito, muito dolorosa.

15

Perda total

Foram mais de 30 dias de buscas, mas no fim localizamos e identificamos todos os corpos que estavam no voo 1907 naquele 29 de setembro de 2006.

O local exato do acidente foi encontrado ainda no sábado, dia 30: ficava duzentos quilômetros a leste de Peixoto de Azevedo, próximo a uma fazenda de gado, a fazenda Jarinã. A densa floresta dificultava as buscas e o resgate. Era uma área bastante selvagem e de difícil acesso. Ficava no meio da Floresta Amazônica, numa região inóspita, distante.

Tudo foi feito com a ajuda da FAB e seus brigadistas, que fizeram um trabalho sensacional juntamente com a nossa equipe de segurança de voo. Equipes desceram de rapel no local onde se encontravam os destroços. Três militares começaram a abrir clareiras para o pouso de helicópteros da operação de resgate. Foi improvisada uma base na fazenda. No total, cinco aeronaves da FAB e três helicópteros foram enviados para a região. No mesmo sábado, o presidente Lula declarou três dias de luto nacional.

Nesses momentos, precisamos louvar a solidariedade de homens e mulheres extremamente corajosos que não medem esforços nem calculam riscos com a missão de salvar pessoas. Essa solidariedade nos ajudou a reduzir o tamanho do trauma.

No dia seguinte, domingo, mais de cem parentes de vítimas do voo desembarcaram em Brasília para acompanhar os trabalhos de resgate. Quase cinquenta chegaram num voo especial de Manaus. Outros 65 foram levados em voos que partiram de São Paulo, Rio de Janeiro, Belo Horizonte, Vitória, Porto Alegre, Curitiba, Goiânia, Recife, Fortaleza e Natal.

Dois momentos foram especialmente difíceis. Primeiro, admitir a ausência de sobreviventes. Segundo, a conclusão de que nossa aeronave se desintegrara no ar. Tudo era fruto de um movimento duplo e simultâneo: as buscas pelos corpos dos passageiros e as investigações para entender a causa da colisão e da queda do avião.

No dia 3 de outubro, reportagem do jornal *Folha de S.Paulo* analisava: "Sucessão de erros provocou o maior acidente aéreo da história do país". Nenhum desses erros havia sido responsabilidade da GOL. Mas se isso nos tirava um peso considerável, por outro lado não apagava o tamanho da tragédia e o mergulho da empresa num abalo histórico. "O maior acidente aéreo da história do país resultou de uma combinação de erros no controle aéreo em Brasília, ineficiência na cobertura de rádio no Centro-Oeste e dúvidas sobre procedimentos do piloto e equipamentos em pelo menos um dos aviões envolvidos no choque que matou 154 pessoas", escreveram os repórteres Igor Gielow e Lívia Marra.

O acidente foi investigado pelo Centro de Investigação e Prevenção de Acidentes Aeronáuticos (CENIPA), vinculado ao Comando da Aeronáutica, e pelo *National Transportation Safety Board* (NTSB), organização independente norte-americana, responsável pela investigação de acidentes de aviação dos Estados Unidos. A participação do NTSB tinha razão de existir: representava o país do operador do Legacy, o país da Boeing e o país onde foram fabricados os instrumentos em ambas as aeronaves.

Em 2011, o famoso escritor Ivan Sant'Anna publicaria um livro chamado *Perda total*, no qual recontaria alguns acidentes da aviação brasileira. Ele também mostraria a cadeia de erros que levaria àquela tragédia.

O primeiro passo na sucessão de erros ocorreu com o Legacy ainda em solo. A torre de São José dos Campos informou aos dois pilotos, os norte-americanos Joe Lepore e Jan Paladino, que o jato poderia voar a 37 mil pés – mas não avisou que a altitude deveria ser alterada ao longo da viagem. Os pilotos entenderam que poderiam voar daquela forma até Manaus. O equívoco seria facilmente corrigido se tivessem consultado os papéis em seu escaninho. Mas não o fizeram.

O plano de voo do Legacy determinava que a aeronave deveria voar a uma altitude de 37 mil pés entre São José dos Campos e Brasília, depois descer mil pés até um ponto no meio da Floresta Amazônica chamado Teres, e em seguida subir a 38 mil pés até Manaus, o que a tripulação não cumpriu. O Boeing da GOL tinha em seu plano de voo que todo o percurso deveria ser feito a 37 mil pés, altitude em que estava quando ocorreu o choque – momento em que o Legacy deveria estar a 36 mil pés.

Após a decolagem em São José dos Campos, os norte-americanos que conduziam o Legacy acionaram o piloto automático – e só então começaram a estudar a fundo os controles e os programas da aeronave. Até aquele dia, os dois nunca haviam pilotado sozinhos um modelo como aquele da Embraer. Haviam treinado durante os últimos quatro dias, sempre com a ajuda de instrutores.

Durante o voo, um deles desligou o *transponder*, sistema que envia dados sobre a localização da aeronave para as torres de controle, incluindo a altitude exata. Com o dispositivo desligado, outros aviões não podiam perceber o Legacy. Para as torres de comando, ele era apenas um pontinho aparecendo e sumindo nos radares. O desligamento do *transponder* tornou inoperante o *Traffic Collision Avoidance System* (TCAS), um sistema que detecta aeronaves em sentido contrário e indica as manobras necessárias para evitar uma colisão.

Vinte minutos depois, eles entraram em contato com um operador de voo em Brasília – que respondeu alertando que o *transponder* estava desligado. Mas o operador falava num inglês macarrônico.

– Não faço a menor ideia do que diabos ele disse – comentou Paladino, segundo o registro obtido nas investigações.

Minutos depois, em Brasília, o controle passou para um segundo operador, o sargento Jomarcelo Fernandes dos Santos, cujo inglês era igualmente ruim. Para completar, Jomarcelo controlava outros dois voos simultaneamente. Quando Paladino entrou em contato, informando que estavam a 37 mil pés, o operador nada comentou.

As duas aeronaves se aproximavam a uma velocidade somada de 1,6 mil quilômetros por hora. Era uma velocidade impossível de ser detectada e controlada pelos gestos humanos dos pilotos. Se o sistema anticolisão do Legacy estivesse ativado, as aeronaves detectariam uma à outra. Desligado, as duas tripulações não tinham como notar o impacto iminente.

Precisamente às 16h56, a ponta da asa esquerda do Legacy trincou a do Boeing.

– O que diabos foi isso? – questionou Lepore, logo percebendo que ele e o colega teriam de fazer um pouso de emergência, afinal, o Legacy estava com a ponta da asa esquerda arrancada e sem parte da cauda.

Foi uma sorte indescritível para os sete ocupantes do Legacy ter ocorrido um leve desvio, quem sabe provocado por alguma turbulência, que fez com que os dois aviões não se chocassem exatamente de frente, nariz contra nariz. O *winglet* da ponta da asa esquerda do Legacy triscou na asa do Boeing, decepando-a em parte. A aeronave da GOL caiu, e o jatinho executivo, mesmo avariado, seguiu em frente. Foi assim que conseguiu voar até a Base Aérea de Cachimbo.

O escritor Ivan Sant'Anna escreveu em seu livro:

Se, por inspiração do demônio, os comandantes Chaves Júnior e Lepore e seus copilotos tivessem planejado e calibrado em seus instrumentos de bordo para aquele roçar de asas, não teriam conseguido. Segundo descrição da revista *Vanity Fair*, foi como se dois índios, um em cada extremidade de uma aldeia, e sem saber o que o outro estava fazendo, lançassem flechas para cima e elas se tocassem levemente no ar.

Um outro componente para a lista de problemas que resultariam naquela tragédia é a própria região. As frequências de rádio entre Brasília e Manaus são de péssima qualidade. A partir do marco conhecido como Teres (480 quilômetros ao norte da capital federal), há um verdadeiro blecaute que só passa quando radares e rádios de Manaus agem com mais eficácia. A área, conhecida como "buraco negro" pelos controladores, é exatamente em cima da região da serra do Cachimbo, onde ocorreu a colisão.

❖ ❖ ❖

Depois de todo o resgate e identificação, indenizamos todas as famílias das vítimas. Indenizamos os indígenas que habitavam o local onde a aeronave caiu. Indenizamos a empresa que era dona da aeronave. Enfim, cumprimos todas as formalizações financeiras e indenizatórias previstas em lei e atuamos de acordo com o bom senso social necessário para situações do gênero. Tudo aquilo que era objetivo e palpável nós executamos, mas nunca saberemos dizer se reparamos integralmente os danos sentimentais. Provavelmente, não. Nunca sairão da minha cabeça o desespero e o choro das pessoas nos saguões dos aeroportos, nas missas oferecidas em homenagem às vítimas, nos Institutos Médicos Legais (IMLs) onde os corpos eram reconhecidos, nos enterros e crematórios.

Partimos a seguir para indenizar as famílias das vítimas antes mesmo de qualquer medida judicial. Tínhamos – e temos – a convicção de que, como transportador aéreo, a responsabilidade pela vida do passageiro é nossa. No direito, isso se chama *responsabilidade objetiva*: a obrigação de transportar o passageiro do ponto A para o ponto B, com segurança. Em outras palavras, a culpa pode ter sido do Legacy e do controle de tráfego aéreo, mas a responsabilidade pela vida dos passageiros era da GOL.

Nesses momentos, escancara-se o que o ser humano tem de melhor e também o que tem de pior. Emoção, choque e choro conviviam naquelas horas com demonstração de empatia e solidariedade diante da dor mais profunda que alguém pode sentir, que é se ver diante da morte de alguém querido. Ao mesmo tempo, porém, nos deparamos com situações incrivelmente vexatórias, capazes de revelar características e sentimentos pouco dignos da vida humana.

É com dor que me recordo do momento em que um pai chegou com indisfarçável sorriso, para espanto de quem o viu e ouviu: "Agora finalmente meu filho vai dar dinheiro para a família".

Houve o caso de um passageiro que se separara e já vivia com outra companheira naquele setembro de 2006, apesar de se manter casado no papel com a ex. Ocorre que as duas mulheres (a atual e a ex, que também já estava casada com outro homem) procuraram a GOL e recorreram à Justiça para receber a indenização.

– Sou casada de fato – dizia uma.

– Sou casada de direito – dizia outra.

A indenização desses casos costuma ser calculada com base em diversos fatores, o que gera valores bastante variados. Pela lei, calculam-se danos morais, subsistência e herança familiar. Recebem filhos, cônjuges ou os pais do passageiro.

Deu-se então uma situação delicada e inusitada com uma passageira, uma senhora de 78 anos, que perdeu o filho de trinta anos. Segundo as regras de indenização, devido à idade, aquela senhora receberia uma indenização menor. Mas receberia. E eis que surgiu um sobrinho tentando se aproveitar:

"Minha tia é analfabeta", ele disse, numa reunião com a seguradora e o nosso jurídico. "Faz o seguinte: deposita na minha conta e eu passo para ela."

Era preciso paciência e cuidado ao tratar de cada caso. Como a situação de um rapaz homossexual – estamos falando de 2006, quando ainda não tínhamos legislação de reconhecimento dos casamentos entre *gays*. A dúvida de então: a indenização seria paga para o cônjuge ou para seus pais? Pagamos a ambos.

Em outra situação difícil de lidar, uma mulher nos avisou na audiência de conciliação: "Só faço acordo se vocês trouxerem de volta meu marido", disse, desabando em choro.

Eram 154 vidas e 154 diferentes situações a enfrentar.

Foi o primeiro caso na história de uma empresa que aceitou pagar os chamados direitos difusos dos indígenas. Isso acabou virando uma reportagem no programa *Fantástico*, da TV Globo. Nosso compromisso foi oficializado num encontro na sede da Procuradoria-Geral da República: R$ 4 milhões pagos em forma de indenização para reparar danos espirituais.

O valor foi proposto pela própria comunidade indígena, sem contraproposta por parte da GOL por entendermos que apenas a comunidade poderia valorar os danos que havia sofrido Sim, era uma decisão inédita a compensação aos indígenas pelo fato de os destroços da aeronave terem se espalhado na floresta numa área de terra e a transformado, segundo eles, numa "casa de espíritos" – ou *mekaron nhyrunkwa*, como assim definem os kayapós.

Por conta do acidente, oito operadores foram afastados de suas funções. No Brasil inteiro, controladores de tráfego passaram a protestar contra a falta de investimento em equipamentos. Em dezembro daquele mesmo ano, uma pane técnica prejudicou a comunicação entre operadores e pilotos em várias partes do país. Durante três dias, aeronaves não podiam partir dos aeroportos de Brasília e Belo Horizonte. Em São Paulo, boa parte das decolagens foi suspensa. A pane foi resolvida, mas o chamado caos aéreo durou até 2007. Volto a ele no próximo capítulo.

Em 2011 os dois pilotos do Legacy foram condenados a três anos de prisão, em regime aberto, por crime de negligência. Recorreram da sentença, mas em 2015 acabaram condenados em última instância pelo Superior Tribunal de Justiça. Em 2017 a Justiça Federal de Mato Grosso decretou a prisão dos dois, em regime aberto – estando nos EUA, não foram presos, mas a pena foi substituída pela prestação de serviços comunitários em órgãos brasileiros nos Estados Unidos e pela proibição do exercício da profissão. A *Federal Aviation Administration* (FAA) não aplicou nenhuma punição aos pilotos. A licença de Jan Paladino foi renovada pela FAA em abril de 2017. A de Joe Lepore, em 2014.

No Brasil o controlador Jomarcelo dos Santos foi absolvido de todas as acusações, sob a alegação de que, "pelas notórias deficiências" da sua formação, "só se pode agradecer por ele não ter errado com muito mais frequência". O controlador Lucivando Tibúrcio de Alencar foi condenado a três anos e quatro meses de prisão, por ter programado equivocadamente as frequências de comunicação do centro de controle, o que impossibilitou contato com o Legacy.

❖ ❖ ❖

As cicatrizes geradas por aquela tragédia jamais serão consertadas. Nossa operação estava totalmente dentro da norma e do que fomos autorizado a cumprir. A aeronave estava com operacionalidade plena, nossa tripulação seguia rigorosamente o mandato. Não poderíamos ter feito nada diferente para evitar o acidente. Foi como alguém receber uma bala perdida dentro de casa com efeitos fatais.

Mesmo assim, o sentimento que faz secar a boca acontece comigo sempre que o tema vem à tona. Nenhum dos inúmeros episódios vividos na GOL é mais difícil de rememorar para escrever este livro do que esse, pois ainda é muito duro aceitar o que aconteceu. Imagine o leitor e a leitora lembrar uma aeronave voando corretamente, em seu nível de cruzeiro autorizado e operando dentro dos padrões e orientações apresentadas. De repente essa mesma aeronave sofre a colisão de uma ponta do *winglet* de uma aeronave menor – uma colisão que cortou um pouco mais de seis metros da asa de nossa aeronave.

O fato é que todos os que estavam a bordo morreram sem saber o que ocorreu. Na batida contra o Legacy, ninguém entre os passageiros e tripulantes no Boeing morreu. Mas logo a aeronave despencou dando voltas como um parafuso e começou a se desintegrar no ar. A queda, segundo as investigações informariam mais tarde, durou 63 segundos.

A tripulação seguia seu plano de voo na íntegra e, conforme as caixas-pretas, nada sabia, nada viu acontecer. Nenhuma gritaria, nenhuma palavra de desespero enquanto a aeronave caía e se desintegrava no ar. Fizemos uma simulação de voo sem os seis metros de asa, e qualquer aeronave do mesmo modelo entraria em *looping*, sem possibilidade de voar, até se desintegrar, como de fato ocorreu. Nada poderíamos ter feito para mudar o curso da história.

Esses foram os momentos mais difíceis e assustadores de minha vida.

16

Um apagão no meio do caos

Atrasos e cancelamentos de voos, longas esperas em terminais abarrotados de passageiros, greves, lentidão no trabalho de controladores de tráfego aéreo, preocupações em torno da infraestrutura dos aeroportos – o evento trágico do voo 1907, naquele mês de setembro de 2006, deflagraria uma onda de problemas na aviação brasileira, culminando com o que ficou conhecido como "caos aéreo", ou "apagão aéreo". Não foram tempos fáceis, nem para controladores, nem para companhias aéreas e muito menos para os passageiros, os mais penalizados.

Se a aviação brasileira vinha crescendo de maneira consistente nos últimos anos, experimentaria ali seu primeiro grande teste depois da criação da ANAC, que substituiu o DAC exatamente um ano antes da tragédia do voo 1907. Durante os momentos imediatamente seguintes ao acidente, a agência, seus diretores e o governo federal como um todo sofreram diversos questionamentos e pressões para superar aquele trauma de forma estruturada. Mais do que isso, algumas deficiências da infraestrutura brasileira ficaram escancaradas. A fratura exposta ficou mais evidente no controle do espaço aéreo e na falta de investimento e treinamento dos controladores de voo.

Tudo começou ainda durante os primeiros passos das investigações do acidente da nossa aeronave com o Legacy. Desde os momentos iniciais do trabalho investigativo, parte da responsabilidade causadora da tragédia foi atribuída à falha de gerenciamento no controle do voo do Legacy, como demonstraria mais tarde o relatório do CENIPA. O relatório listaria uma variedade de fatores, praticamente todos relacionados aos controladores de tráfego aéreo e à tripulação do Legacy. Com essa exposição e o consequente ressentimento em muitos deles, os controladores, em sua maioria militares oficiais, se revoltaram e forçaram uma greve dissimulada.

❖ ❖ ❖

Como militares não podem fazer nenhum tipo de manifestação como os civis, a solução encontrada por eles foi encenar uma série de ações de trabalho, incluindo lentidão e até mesmo greve de fome. Passaram a se queixar diante do país, afirmando estarem sobrecarregados, mal pagos e forçados a trabalhar com equipamentos obsoletos. Muitos também estavam limitados pelo conhecimento do inglês, usado universalmente pela aviação internacional, reduzindo enormemente a capacidade de se comunicar com os pilotos estrangeiros – falha que desempenhou papel fundamental na comunicação com os pilotos do Legacy.

A primeira ação se deu em 27 de outubro, quase um mês depois do acidente. Vários voos que saíram de Brasília com destino a Cuiabá, Campo Grande, São Paulo e região Sul tiveram a decolagem propositalmente retida ou atrasada. Entre 6h47 e 10h42 daquele dia, foram nada menos que 32 voos prejudicados no Aeroporto Internacional Juscelino Kubitschek. Em paralelo, um grupo de controladores se reunia informalmente no Parque da Cidade, também em Brasília, onde propunham uma "operação tartaruga". O argumento para o "reordenamento do fluxo das saídas" de Brasília foi evitar sobrecarga dos controladores de voos, que, segundo norma internacional e questões de segurança, não podem monitorar mais de quatorze aviões ao mesmo tempo.

O movimento se espalhou, e, no feriado de Finados, entre 1º e 2 de novembro, o caos aéreo estaria registrado em todos os aeroportos do país. Diante daquele motim velado, viajar pelo Brasil se transformou num pesadelo. Voos passaram a ser alterados, liberados e cancelados pelos controladores sem nenhuma explicação lógica. Eles mudavam rotas, barravam decolagem ou aterrisagem sem nenhum tráfego aéreo, mandavam embarcar e desembarcar passageiros sem informação adicional ou argumento que justificasse tais medidas. Tudo isso para chamar a atenção das autoridades sobre a baixa remuneração e falta de condições de trabalho.

Na véspera de outro feriado, o da Proclamação da República (15 de novembro), 150 profissionais foram aquartelados, convocados pelo comando da Aeronáutica para garantir o controle de voos. Não foi suficiente, e aquele feriado registraria novos atrasos em São Paulo, Rio de Janeiro, Brasília, Belo Horizonte, Porto Alegre e Salvador.

Aquela situação gerou mais um grave prejuízo à nossa empresa, assim como para todos do setor aéreo nacional. Os voos chegavam a atrasar até sete horas, além dos inúmeros cancelamentos. Na soma de problemas, a consequência óbvia era o baixíssimo índice de satisfação dos nossos clientes passageiros.

O clima nos aeroportos era tenso, pois também não havia como ter certeza de nada do que poderia acontecer. Às vezes dava tudo certo. Às vezes, do nada, eles aumentavam o espaçamento entre os voos em cinco a dez minutos, o suficiente para provocar um atraso em cascata.

Nossa equipe de aeroporto sofria e apanhava dos passageiros sem ter como resolver o problema. Pior: não tinha informação alguma para repassar aos passageiros, ampliando a queixa e o desespero generalizados. A revolta dos clientes era legítima: alguém pagava pela passagem e não embarcava ou não chegava no horário em que precisava chegar ao destino. No final, quem tomava a bronca era o time dos aeroportos que estava à frente deles – sem argumentos nem soluções à vista. Viajar se tornou uma operação de guerra que exigia sangue-frio e paciência eterna para todos.

Na véspera do Natal, a paciência já tinha ido para o ralo. Com os principais aeroportos do país registrando novos atrasos, passageiros revoltados chegaram a provocar tumulto e quebra-quebra no Aeroporto Internacional Tom Jobim, no Rio de Janeiro. Um homem foi preso, e o *check-in* teve de ser suspenso. Em Brasília, a pista foi invadida por passageiros. Em Congonhas, um grupo resolveu fazer um abaixo-assinado.

Naquele momento, faltou ao governo federal habilidade para administrar a situação. Adotou-se o caminho mais fácil: transferir a responsabilidade para as companhias aéreas.

O "caos aéreo" se prolongaria até o início do segundo semestre do ano seguinte – em julho de 2007 outro acidente marcaria a aviação e a crise aérea, o do voo TAM 3054, em Congonhas. O acidente resultaria na demissão do ministro Waldir Pires, que seria substituído por Nelson Jobim, ex-ministro do STF. Jobim usaria seu poder de comando para gerenciar melhor aquela situação.

Aquela crise foi mais uma provação a ser superada pela empresa e seus administradores e colaboradores. Tínhamos vivido um acidente traumático e, logo na sequência, aquela revolta dos controladores. Na cereja do bolo da crise, a gestão pouco ativa do governo federal.

Se o ministro Waldir Pires não aguentou a pressão e demonstrou dificuldade para dar respostas no tempo necessário e adequado à situação, a ANAC se mostrou mais ativa e atuante. Tivemos várias reuniões com a diretoria da agência, com o Ministério da Defesa, com o comando da Aeronáutica. De igual forma, no fim das contas todos, rigorosamente todos, estavam fazendo um esforço para, de alguma forma, resolver a situação e trazer a normalidade de volta.

Resultado: foi o primeiro ano de números negativos para a empresa.

Como a GOL é uma empresa aérea, concessionária de serviço público de caráter essencial para a população, ela deve sempre atender às necessidades e ordens do seu poder concedente, no caso, a ANAC, quase numa relação de trabalho. Por essa razão, não havia muito o que fazer senão aguardar a fase passar sem quebrar os vínculos de confiança com aquilo que o Brasil sempre teve de melhor na aviação: a segurança de voo.

Os passageiros batiam. O governo batia. A ANAC batia. E nós permanecemos calados. Se reagíssemos, exporíamos o governo e os controladores de tráfego aéreo – e, na prática, seríamos os maiores prejudicados diante de um ou de outro.

Enquanto isso, o governo soltava chumbo grosso de críticas às companhias aéreas na mídia. Seus representantes diziam:

– As companhias aéreas não trabalham direito.

Tentávamos evitar o combate e minimizar os problemas provocados por aquela greve branca. Tivemos de manter a calma e a serenidade para superar de forma harmoniosa aquele momento turbulento da aviação brasileira. E vencer os problemas daquele que foi o ano mais tenso e difícil de nossa história empresarial.

17

A Varig é nossa

Aquele ano de 2006 foi o mais tenso e difícil de nossa história, sem dúvida, mas apesar da turbulência iniciamos 2007 com intenções claras de continuar nosso crescimento e ampliar nossos horizontes. Definimos como meta alçar voos mais longos, inclusive em rotas internacionais. Respeitando o sofrimento das famílias vítimas do acidente, a empresa seguiu por algum tempo em luto, cultuando também a memória de nossos heróis colaboradores que infelizmente perderam as vidas naquela terrível tragédia. Mas a vida precisava seguir adiante.

E seguiu. Na virada do ano, focamos num objetivo: fazer a empresa voltar a brilhar nos céus brasileiros, garantindo nova energia à nossa equipe. Precisamos dar força ao nosso time – na época, já éramos mais de sete mil colaboradores. A tragédia havia nos abatido gravemente, sabíamos que tínhamos responsabilidade sobre aquelas vidas, mas também tínhamos consciência plena – e a Justiça também – de que a culpa não fora nossa. A vida, repito, precisava seguir adiante.

Nos primeiros dias de 2007, Júnior e eu saímos de nosso período de descanso para fazer uma reunião no Rio de Janeiro com os representantes do fundo de investimento norte-americano MatlinPatterson, que tinha se habilitado no Plano de Recuperação Judicial da Varig. O fundo havia arrematado a chamada Unidade Produtiva Isolada da companhia, instituto previsto na Lei de Falências brasileira – as chamadas UPIs nada mais são do que o conjunto de ativos de uma empresa necessários ao desenvolvimento de suas atividades e que podem ser alienados durante o processo de recuperação judicial. Assim se preservam as atividades de uma companhia em recuperação, bem como o pagamento do total ou de parte dos débitos da empresa.

Assim foi feito em 2006, e o MatlinPatterson adquirira vários ativos da antiga Varig. Criou-se a empresa VRG, adquirida num leilão judicial realizado pela 2ª Vara Empresarial, especializada em falências, do Rio de Janeiro, na época capitaneada pelo excelente juiz Luis Roberto Ayoub, hoje desembargador do Tribunal de Justiça do estado do Rio de Janeiro. Ao lado dos demais magistrados das varas especiais desse mesmo tribunal, ele conduziu com maestria aquele que foi o primeiro grande processo de recuperação da nova Lei de Falências, que havia sido promulgada naquele ano e enfrentava sua grande provação – afinal, a Varig exibia características de "grande empresa nacional", quase uma estatal querida e bem-vista. O futuro da Varig era, para muitos, uma questão nacional.

O caso é emblemático até hoje, pois foi um teste para aquela nova legislação. Além da Varig, deu-se a recuperação judicial da gigante Parmalat, que também passava por grave crise financeira. Essa legislação vem até hoje passando por melhorias e aperfeiçoamentos institucionais, de modo a alcançar o objetivo primordial: recuperar empresas, preservar os empregos e manter o valor das companhias.

O caso Varig foi um verdadeiro sucesso de preservação do valor da empresa e dos ativos em prol do consumidor brasileiro. Com as medidas tomadas pelos administradores e juízes da recuperação judicial, foi possível manter diversos voos nacionais que, em princípio, seriam perdidos. Além disso, diversas rotas internacionais foram preservadas e todos os planos de milhagem do famoso programa Smiles foram honrados. Também não houve ruptura drástica entre a maior parte dos colaboradores da antiga Varig.

E assim, naquele verão de 2007, Júnior e eu fomos ao encontro de Lap Chan, representante do fundo que adquirira a chamada UPV, Unidade Produtiva Varig.

– Queremos vender a empresa para vocês – ele nos avisou naquele encontro. A empresa a que se referia era a recém-criada VRG Linhas Aéreas.

Parecia uma excelente oportunidade de darmos a volta por cima e acelerar nosso crescimento de forma sustentável. Com o plano de fidelidade Smiles, mais ofertas na ponte-aérea Rio–São Paulo e a incorporação dos voos de longo curso para a Europa, a GOL atingiria outro patamar de desenvolvimento. Isso também daria um novo ânimo à nossa equipe, que estava, claro, abalada com os acontecimentos turbulentos de 2006. Era uma oxigenação importante no nosso time, capaz de gerar um novo círculo virtuoso na companhia.

Fomos além daquela reunião em janeiro, no Rio. Depois de diversos encontros com a equipe do fundo, diversas análises de preço, mercado, condições, capacidade de operação, sinergias, laudos de avaliação e simulações, conseguimos chegar a um acordo comercial em abril de 2007. Foram pouco mais de três meses de idas e vindas – mas com avanços contínuos – que resultaram na maior negociação realizada no setor aéreo brasileiro até então.

O fundo de investimento tinha pressa na solução, pois quanto mais rápido fizesse o negócio, mais rápido teria retorno sobre o capital investido. Foi uma negociação tensa, mas muito célere, pois a velocidade na conclusão do negócio seria benéfica para os dois lados. Trabalhamos intensamente em diversos finais de semana, com sigilo absoluto, para evitar o vazamento das tratativas.

A chilena LAN até tentou entrar na disputa. Chegou a fazer um empréstimo de US$ 17,1 milhões para a Varig em janeiro, numa operação passível de ser convertida em ações. A TAM chegou a analisar a possibilidade de uma aquisição, mas logo esbarraria tanto no medo das dívidas da Varig velha quanto na aprovação dos órgãos públicos, sempre temerosos de uma concentração excessiva no mercado. Ao governo não interessava a Varig ir para as mãos de uma empresa internacional – a legislação brasileira permitia isso até certo limite. Também era fundamental para o governo a bandeira Varig ser conduzida por uma companhia brasileira capaz de retomar as rotas internacionais.

Seríamos nós.

"Gol confirma compra da Varig por US$ 275 milhões", despachava a agência Estado para assinantes no mercado na quarta-feira, dia 28 de março de 2007. "Gol compra controle da nova Varig por US$ 275 milhões", confirmava a edição do dia seguinte do jornal *Folha de S.Paulo*, ressaltando o tamanho da negociação: "Trata-se do maior negócio da aviação civil brasileira". A compra da nova Varig chegaria ao valor total de US$ 320 milhões – os US$ 275 milhões mencionados nas reportagens eram o desembolso que a GOL faria com a entrega de 3% de suas ações e 10% do seu próprio caixa. Outros R$ 100 milhões corresponderiam a uma obrigação de honrar emissões de debêntures feitas pela nova Varig.

Minutos antes de fazermos o anúncio para o mercado, Júnior, meu pai, eu e o advogado Roberto Teixeira estivemos no terceiro andar do Palácio do Planalto, para informar ao então presidente Lula a finalização do negócio. Informamos ao governo que manteríamos o programa Smiles e adotaríamos gerenciamentos separados. Amigo de Lula, Teixeira dera apoio na parte jurídica do novo negócio, representando o lado dos vendedores. Foi ele quem organizou aquele encontro.

Também estavam no encontro o vice-presidente da República, José Alencar, os ministros Dilma Rousseff (Casa Civil), Walfrido dos Mares Guia (Relações Institucionais), Marta Suplicy (Turismo) e Luiz Marinho (Trabalho), além do presidente da ANAC, Milton Zuanazzi, do presidente da Infraero, brigadeiro José Carlos Pereira, e dos advogados Valeska Teixeira (filha de Roberto Teixeira e afilhada de Lula) e Cristiano Zanin (até hoje advogado de Lula, representando-o nos processos da Operação Lava Jato).

O desenho estava pronto, os acordos selados, a estrutura plenamente montada, mas, claro, precisávamos do aval definitivo do governo naquela ocasião. A compra se daria por meio da GTI S.A., uma subsidiária da GOL, o que evitava riscos de contaminação dos passivos bilionários da antiga Varig e seu cipoal de dívidas trabalhistas, tributárias e previdenciárias. Dividiríamos o patrimônio da empresa em recuperação judicial, montando uma ação isolada. O negócio previa arrecadar dinheiro com o ativo bom para pagar as dívidas da empresa.

E assim apresentamos ao presidente e seus ministros.

Faltava, porém, um documento chamado Certificado de Homologação de Empresa de Transporte Aéreo, também conhecido como CHETA. Ele é a última etapa antes da assinatura do Contrato de Concessão, deixando a empresa apta a iniciar suas operações aéreas. Pois foi só ouvir a palavra que dava nome ao certificado que o presidente desandou a rir. Lula começou a gargalhar, sem parar.

– Como coloca o CHETA? – perguntava, e ria novamente, fazendo a graça dos presentes, como era seu estilo.

Quando parecia caminhar para o autocontrole, olhava para o ministro Mares Guia e questionava:

– CHETA?

Mirava então para a ministra Marta Suplicy:

– Pô, Marta? Como você tem coragem de colocar um nome desses num negócio sério assim? – brincava.

Foi hilário.

Lula estava de bem com a vida. Reeleito em outubro de 2006 depois de uma campanha dura no primeiro turno, mas com vitória fácil no segundo, terminara o ano com 57% de aprovação positiva, e seguiria numa trajetória que só cresceria até o fim do novo mandato. O chamado "caos aéreo" até abalaria um pouco os seus alicerces de aprovação, mas o presidente não perdia a euforia e o otimismo. Ele começara o ano com intensa expectativa para a economia em 2007 – algo que se confirmou, pois naquele ano o país cresceria 5,4%, com expansão do crédito, *boom* imobiliário e recordes na bolsa de valores.

Na reunião, mais sério, Lula avisou a Zuanazzi:

– Quero que resolva – disse ao presidente da ANAC, que mais tarde avisaria à imprensa que o negócio seria aprovado na agência em, no máximo, dois meses. E confirmou que, na reunião, Lula havia cobrado rapidez na análise da negociação.

À ministra Dilma, que chegara atrasada à reunião e pouco interveio, Lula questionou:

– Você tem alguma objeção?

Não, não tinha.

A intenção inicial, segundo informaria Júnior ao mercado e à imprensa, era manter posicionamentos distintos para cada marca. A Varig teria um foco mais de negócios, com serviços diferenciados e o programa de milhagem Smiles, cuja base chegava a cinco milhões de clientes. No mercado doméstico, a Varig concentraria as operações nos aeroportos de São Paulo e Rio de Janeiro, com voos diretos para as principais capitais. Dentre os destinos internacionais, a Varig faria voos de longo curso para Europa (Frankfurt, Londres, Madrid, Milão e Paris) e América do Norte (Miami, Nova York, Cidade do México). Na América Latina, região onde a GOL já atuava agressivamente, a Varig se concentraria nos maiores mercados (Buenos Aires, Santiago, Bogotá e Caracas), com voos diretos e classes econômica e executiva. No modelo de negócios internacionais, a GOL manteria seus voos para a Argentina, Bolívia, Chile, Paraguai, Peru e Uruguai, apenas com classe econômica.

As ações da GOL, claro, dispararam diante da notícia. Elogios de lado a lado, incluindo declarações públicas do vice-presidente, José Alencar, que falou à imprensa nos dias seguintes:

– Penso que essa pode ser uma boa notícia para o Brasil, porque abre espaço para que a Varig, que tem um grande nome, volte a fazer as linhas internacionais com administração segura. Então, Deus queira que isso dê certo – disse Alencar, mencionando em seguida sua admiração em relação aos "donos da GOL". – Conheço o titular, que é o Nenê Constantino, e o filho dele que é o presidente da companhia. Eu digo para vocês que, lá em Minas, sempre foram considerados gente séria, que sabe trabalhar no setor de transportes.

❖ ❖ ❖

Foi uma tacada ousada, mas bastante promissora para nossas ambições de continuar fazendo a GOL crescer e se tornar a maior companhia aérea do Brasil.

Para que isso fosse concluído com sucesso, tivemos de fazer uma grande peregrinação nos órgãos envolvidos, entre ministérios, a ANAC, o Conselho Administrativo de Defesa Econômica (Cade, autarquia federal responsável por analisar condições de concorrência e proteção contra eventuais abusos de poder econômico) e, sobretudo, o Tribunal de Justiça do Rio de Janeiro, principal órgão responsável pelo sucesso da operação e manutenção dos ativos e benefícios dos clientes da Varig.

Essa era uma área a que eu me dedicava com especial atenção, afinal, eu conduzia o jurídico da companhia. Eu me envolvia com tudo o que dissesse respeito ao Cade e ao Tribunal de Justiça do Rio. No Cade, eu pedia audiências aos conselheiros. No Tribunal de Justiça, ao juiz Luis Roberto, responsável pela recuperação judicial da Varig. No fim das contas, o Cade demoraria mais de um ano para aprovar a negociação, o que significou trabalho redobrado para mim e minha equipe. Tudo o que envolvia a Varig era acompanhado por forte apelo emocional.

– Vocês vão acabar com a marca?

– Vocês vão dominar o aeroporto de Congonhas?

– Vocês vão restringir a entrada de novas empresas no mercado?

Precisávamos responder a essas e muitas outras perguntas para acalmar conselheiros e demonstrar que aquela era uma excelente operação para o país, para o setor aéreo, para os passageiros, para a Varig. Foram muitos debates no Cade e na ANAC.

O fato é que, sem aquela aquisição, tudo cairia por terra, e várias pessoas teriam perdido suas milhas e passagens adquiridas antecipadamente, num prejuízo sem precedentes para a população. Também asseguramos prioridade à contratação de funcionários demitidos da antiga Varig. Dez anos depois, uma reportagem do portal G1, da Globo, entrevistava vários desses funcionários que haviam sido acolhidos pela GOL. "Com a compra da Varig, a Gol incorporou à sua equipe um time de 'varigianos', profissionais apaixonados por aviação que fizeram carreira na Varig", dizia a reportagem. "Eles reforçaram o time da Gol em um momento em que a aviação brasileira crescia, mas faltavam profissionais qualificados no Brasil." Gente que havia mergulhado na incerteza quando a Varig decretou falência, em 2006.

Aquele era também um ótimo negócio para a GOL, claro. Com a aquisição, não alcançaríamos imediatamente a liderança do mercado – esse posto era da TAM –, mas chegávamos mais perto de nossa principal concorrente. Também tínhamos grandes expectativas de reduzir os custos de tarifas, como explicamos numa das notas divulgadas naquele momento: "A GOL acredita que há oportunidade de maximizar o poder de compra das duas subsidiárias para reduzir ainda mais os custos operacionais, aumentar a eficiência, incorporar mais inovações no mercado de transporte aéreo e repassar os benefícios da sinergia entre as empresas aos seus clientes".

O programa Smiles também se transformaria, como prevíamos, num negócio altamente benéfico para a empresa e, sobretudo, para os passageiros. Em 2012, deixaria a condição de departamento na companhia para virar uma empresa independente, com capital aberto, ótimos lucros e faturamento quase na casa dos R$ 2 bilhões.

Um filme de oitenta segundos seria exibido nos comerciais de TV para celebrar a Nova Varig ao lado da GOL. Enquanto frases-chave eram apresentadas na tela em meio a comissários, pilotos, engenheiros e, claro, aeronaves, uma música animada inspirava energia e otimismo:

É...
A gente vai fazer acontecer
Vai ver a nossa estrela decolar
A gente vai cuidar e vai fazer
A Varig vai assumir o seu lugar
Agora é turbinar e promover
Que a gente sabe onde quer chegar
E a gente vai longe pra vencer
Depende só da gente se envolver
Nosso sonho enfim está no ar
É...
A Varig é um pedaço do Brasil
É hora de voar e ser feliz
Cruzando o mundo inteiro
De Norte a Sul
Com todo o céu azul

No fim, um locutor arrematava: "Você está convidado a participar desse novo momento da Varig. Venha crescer com a gente".

E assim, 2007 indicava um início com ainda mais trabalho para a concretização do nosso sonho. O time estava muito empolgado novamente, e a credibilidade da empresa, mais uma vez em alta. O mercado percebeu que não tivemos culpa no acidente e que nossos procedimentos de segurança foram amplamente testados, conforme relatório oficial do CENIPA. E mais ainda, que nossa capacidade de resiliência e versatilidade fora comprovada após todas as interferências dos controles de tráfego aéreo.

Estávamos aptos e prontos para voltar ao crescimento. O trem retomava os trilhos certos. Até que uma nova tragédia surgiu no meio do caminho.

18

Tragédia na pista de Congonhas e luto em todo o Brasil

Eram 18h50 de 17 de julho de 2007 quando os pilotos Henrique Stephanini di Sacco, de 53 anos, e Kleyber Aguiar Lima, de 54, iniciaram o pouso do Airbus 320 da TAM, vindo de Porto Alegre, na pista 35L de Congonhas. Chovia forte, e a aeronave tocou o solo normalmente, no ponto certo e na velocidade correta, a aproximadamente trezentos metros da cabeceira da pista, a 240 quilômetros por hora. Logo, porém, viu-se que algo estava errado: à medida que percorria a pista, ficava claro para a tripulação, torre de controle e quem acompanhava o percurso da aeronave que o avião estava indo rápido demais. Vinte e quatro segundos depois de tocar o solo, deu uma virada brusca para a esquerda, avançou pela pista até espatifar-se do outro lado da avenida Washington Luis, no prédio onde funcionava a TAM Express, o depósito de cargas da empresa, em frente ao terminal principal do aeroporto. Numa região e num horário muito movimentados, também atingiu pessoas em solo e um posto de combustível. Havia 181 passageiros a bordo e seis tripulantes. Ninguém sobreviveu.

Atingido pelo Airbus, o prédio da TAM Express começou a pegar fogo quando funcionários ainda estavam no seu interior. Segundo reportagem do jornal *O Globo* na época, funcionários contaram que "as pessoas se jogavam do prédio e gritavam de desespero no fogo". Apenas às 23h30 os bombeiros conseguiram se aproximar do avião, cuja fuselagem havia derretido, restando somente a cauda.

O fogo durou mais de seis horas, controlado por mais de 250 homens do Corpo de Bombeiros envolvidos na operação, além de dezesseis ambulâncias e profissionais do IML. As chamas atingiram vinte metros de altura. As buscas nos escombros seriam encerradas somente nove dias depois do acidente.

O acidente com o voo 3054 da TAM se tornaria, a partir dali, a maior tragédia da aviação brasileira e geraria mais um abalo na gestão da aviação civil do país. No total, duzentas pessoas morreram.

Pior: foi o segundo acidente de gravíssimas proporções em menos de um ano, o que criou um verdadeiro desespero por parte dos governantes para que medidas drásticas fossem adotadas. Nos primeiros minutos após o acidente, inúmeras especulações se espalharam em profusão, em especial sobre as supostas condições inadequadas do aeroporto, problemas no avião e imprudência do piloto, passando pela crise aérea nacional.

Deu-se, a partir daí, um clima de tensão e acusações por todos os lados. A ANAC, formada por civis depois da extinção do DAC (totalmente formado por militares), vivia apenas o seu quinto ano de existência e já contabilizava os dois maiores acidentes aéreos da história do Brasil e o denominado "caos aéreo".

A consequência inevitável: aos olhos da população, a agência não fazia seu trabalho de forma eficaz – embora não tivesse culpa por nenhuma das tragédias. Mesmo assim, seus diretores seriam responsabilizados por isso. É quase como demitir um técnico de futebol quando o time não vai bem no campeonato – alguém precisa ser responsabilizado e punido. Dessa forma, alguns diretores foram substituídos, e o aeroporto de Congonhas, principal aeródromo com passageiros de negócios do país, foi obrigado a reduzir suas operações. Um ministro também caiu. O governo sofreu abalos. O país entrou em luto.

O acidente recebeu investigação mais uma vez do CENIPA. O relatório final seria apresentado em 31 de outubro de 2009 e reafirmava o que as sérias investigações já levantavam desde o início: um dos manetes que controlam os motores estava em posição de aceleração, ao invés de estar em posição de pouso.

O relatório do CENIPA sugeriu duas hipóteses para explicar o acidente. Na primeira, haveria uma falha no controle de potência dos motores, que teria mantido um dos manetes de potência em aceleração. Em tais circunstâncias, haveria uma falha mecânica da aeronave. Na segunda hipótese, os pilotos teriam realizado um procedimento diferente do previsto no manual da Airbus, configurando os manetes irregularmente. Isso caracterizaria uma falha humana.

Uma investigação conduzida pelo Ministério Público do Brasil, em novembro de 2008, concluiu que os pilotos configuraram erroneamente os manetes, colocando os motores em potência inversa.

O documento do CENIPA deixa claro que a possibilidade de falha mecânica era ínfima: uma em quatrocentos trilhões. O CENIPA também apontou falhas da ANAC, da Infraero, da TAM e da Airbus. Concluiu, por exemplo, que a falta de área de escape na pista de Congonhas não foi um "fator contribuinte" para o acidente – nenhuma área de escape, por maior que fosse, ajudaria a parar a aeronave naquelas condições dos manetes em posição inversa.

Em abril de 2014, o Ministério Público Federal em São Paulo pediu até 24 anos de prisão para os acusados de serem os responsáveis pelo acidente. O procurador da República, Rodrigo de Grandis, defendeu que a diretora da ANAC na época, Denise Abreu, e o então diretor de segurança de voo da TAM, Marco Aurélio dos Santos de Miranda, fossem condenados por atentado contra a segurança de transporte aéreo na modalidade dolosa – e não na culposa. Segundo o MPF, os dois assumiram o risco de expor a perigo as aeronaves que operavam em Congonhas. Com a mudança da imputação de culposo para doloso, a pena máxima para ambos subia de quatro para 24 anos.

Em maio do ano seguinte, o juiz federal substituto Márcio Assad Guardia, da 8ª Vara Federal Criminal de São Paulo, absolveu Denise Abreu, Marco Aurélio dos Santos de Miranda e o vice-presidente de Operações da companhia aérea, Alberto Fajerman, pelo acidente.

A investigação gerou na época um total de 83 recomendações de segurança. As sugestões foram distribuídas entre a Organização Internacional da Aviação Civil, a ANAC, o aeroporto de Congonhas, a Airbus e a TAM. Uma das mudanças foi a instalação de um dispositivo de luzes e avisos sonoros para alertar pilotos sobre um eventual erro de posição de manetes.

Naquele ano de 2007, no entanto, mesmo sendo comprovado que a culpa do acidente fora da aeronave e não uma falha da pista de pouso, houve uma redução na quantidade de voos em Congonhas. Resultado: quase 50% do valor do que tínhamos comprado junto com a VRG se perdeu, pois os direitos de voos adquiridos foram eliminados de maneira taxativa e arbitrária pelo governo. Era um ato de desespero das autoridades para mostrar que alguma coisa estava sendo feita para reduzir os problemas da aviação brasileira.

Sem saber o que fazer, resolveu-se reduzir as operações à metade, e assim, num passe de mágica, o aeroporto voltaria a oferecer mais segurança. Algo obviamente sem sentido. Mais uma vez, porém, nossa atitude foi de respeito e obediência, afinal, estávamos – e estamos – na condição de concessionários de serviços públicos, e, como tal, cumpridores das ordens das autoridades e agências responsáveis pelo setor. Mantivemos nossa postura fiel aos mandatos que nos eram dados. Seguimos adiante em nossa trajetória, mesmo contrários às diversas medidas tomadas. Não deixávamos de expor nossas discordâncias, mas obedecíamos fielmente àquilo que fosse decidido.

Uma pena, pois o ambiente era extremamente favorável naquele inverno de 2007. As viagens de longa distância no Brasil finalmente eram realizadas pelo modal mais eficiente para tanto, o transporte aéreo. Naquele mesmo ano, começamos nossos voos internacionais para a Europa, ligando Guarulhos com as cidades de Frankfurt, Londres, Paris, Madri e Roma. Foi uma atitude bastante ousada e fora do nosso planejamento inicial. Havia confiança de sobra entre nós – tudo o que tínhamos feito até então dera certo.

E assim, terminamos o ano de 2007 da mesma forma que em 2006: com muitas dificuldades, sobressaltos, turbulências, contratempos e tragédias, mas mantendo nossa disciplina de continuar o crescimento e garantir a democratização do transporte aéreo brasileiro. Pela primeira vez na história, naquele 2007 o Brasil transportava mais pessoas entre os estados da federação pela via aérea do que pela via terrestre. Era um feito histórico.

Na apresentação do relatório anual da empresa daquele ano, meu irmão Júnior pontuava: "Com todos os desafios apresentados, 2007 foi também o marco de uma transição e do amadurecimento do setor diante de problemas estruturais, como a situação dos controladores de voo e as condições dos aeroportos". Havia um desafio central: a busca de soluções para recuperar a credibilidade da aviação brasileira, e isso, sabíamos, era uma tarefa para as autoridades e também para as companhias como a nossa: "Também nos aperfeiçoamos e acreditamos ter feito nossa parte, concentrando esforços na adoção de medidas para minimizar os transtornos causados aos passageiros".

Renovação de infraestrutura, melhorias na operação de atendimento, ampliação de frota, treinamento de pessoal e investimentos pesados em tecnologia estavam no radar de novidades daquele ano. Para completar, agregamos os voos para o Velho Continente. Com apenas seis anos de vida, e por tudo o que havíamos vivido, parecia que tínhamos décadas e décadas de experiência. Foram poucos anos, mas de incrível intensidade.

19

A crise que parou o mundo

O choque deu-se numa segunda-feira, 15 de setembro, mas o prenúncio já dava as caras bem antes, rondando a cabeça de alguns especialistas, mas pegando de surpresa diversos setores da economia em todo o planeta. O índice Dow Jones, já em 8 de agosto de 2008, fechou com a maior queda em quatro anos por medo de uma crise hipotecária. Mas naquela segunda-feira, 15 de setembro, o banco Lehman Brothers, o quarto maior dos Estados Unidos, declarou falência e abriu a porteira para uma crise sem precedentes, que abalaria os quatro cantos do mundo e marcaria aquele como o ano da pior crise econômica mundial desde a Grande Depressão de 1929.

Enquanto ex-funcionários, recém-desempregados, deixavam o prédio do banco em Nova York incrédulos com o que estava acontecendo, a direção tentava, em vão, obter ajuda do governo ou de outras instituições financeiras. Não conseguiu, e o Lehman Brothers sucumbiu. O sistema financeiro está ancorado fortemente em confiança. O maior drama de toda crise é quando um banco perde a confiança em outro banco. Foi o que ocorreu. Isso faz desaparecer a possibilidade de financiamento e atinge o setor real da economia – e não apenas a gangorra dos papéis negociados em bolsas.

Nos quatro dias seguintes, as bolsas mundiais perderam US$ 4 trilhões, as ações desabavam como nunca desde o ataque às Torres Gêmeas, e o Tesouro norte-americano precisaria abrir as torneiras para salvar outros bancos e evitar um pânico ainda maior. Durante dezenove meses, foram quase nove milhões de empregos perdidos. O consumo e o PIB mundial encolheram. O S&P 500, índice das ações mais valorizadas nos Estados Unidos, perdeu metade do valor.

Ali se chegava ao ápice da chamada crise das hipotecas *subprime*, ou hipotecas podres, assim identificadas porque haviam sido concedidas, com juros altos, a pessoas físicas com elevado risco de crédito. Como se sabe hoje, mais de dez anos depois, os bancos estavam infectados por produtos, criados por matemáticos financeiros, que se baseavam em créditos oferecidos a pessoas com renda incompatível com as prestações, passado recente de inadimplência, falta de documentação adequada ou mesmo a devedores sem patrimônio, trabalho ou renda.

Confiantes de que o mercado imobiliário continuaria em alta, os bancos norte-americanos, ajudados pela falta de regulamentação no mercado financeiro, investiram mais do que deviam – e podiam – naquelas hipotecas de alto risco. Enquanto o mercado habitacional crescia irracionalmente, parecia um negócio rentável. Quando o preço dos imóveis começou a cair, as instituições não tinham dinheiro para cobrir suas dívidas. O mercado financeiro começou então a desmoronar como um castelo de cartas, provocando a maior depressão desde a Segunda Guerra Mundial.

O Brasil não ficou imune aos reflexos da crise, mas naquele ano de 2008 o presidente Lula dizia a cada discurso que tudo aquilo seria uma "marolinha" para nós. O país ainda surfava na onda dos altos preços das *commodities*, das quais era um grande exportador mundial. Havia crescimento espetacular de nossas safras agrícolas e expectativa positiva do petróleo do pré-sal, que livraria o Brasil da condição de importador para ser alçado à condição de exportador de petróleo. Naquele ano, a cotação do produto chegou a bater recordes históricos de preço, beirando a faixa dos US$ 150 o barril.

Para se ter uma noção da diferença, quando começamos a voar, em 2001, o petróleo era negociado a US$ 14 o barril; ou seja, em sete anos, o preço subira quase dez vezes o valor inicial em moeda forte. Para uma companhia aérea, era um preço danoso demais para os resultados. Para o Brasil, no entanto, como país de futuro promissor pela promessa de ser alçado à condição de grande produtor mundial, era motivo de orgulho. Lula nadava de braçada naquela euforia.

Se o terremoto financeiro se espalhava por todo o mundo, de fato o Brasil acabou menos atingido do que se esperaria, e também saiu mais rapidamente. Perdemos 0,9% do PIB naquele 2008. No ano seguinte, o país recuperou 7,5%.

O restante da economia mundial, porém, mergulhou num período de recessão, com crises na Coreia do Sul, Turquia, Rússia e África do Sul. Aquela onda negativa gerou uma maior desconfiança dos mercados com relação aos países emergentes, Brasil incluído, além de uma forte retração dos mercados consolidados, tanto Europa quanto Estados Unidos – retração agravada ainda mais com a já mencionada quebra do Lehman Brothers, considerado um gigante no mercado bancário norte-americano.

Aquilo afetaria a GOL imediatamente, e o setor aéreo de forma geral.

Com aquela retração econômica mundial, nossos recém-inaugurados voos internacionais para a Europa estavam operando com grande prejuízo, e causavam um verdadeiro rombo no fluxo de caixa da companhia. Mais: após os acidentes e contratempos ocorridos em 2006 e 2007, atingiríamos em 2008 nosso maior trauma financeiro. Enfrentaríamos ali a primeira crise de desconfiança do mercado financista.

Havia razões para aquela desconfiança sobre nós e sobre a aviação. Primeiro, o acidente do voo 1907, em 2006. Depois, a compra frustrada da VRG – frustrada devido às limitações de Congonhas em 2007, impostas pela queda do avião da TAM. Por fim, os deprimentes resultados dos voos internacionais, culminando na inesperada crise financeira global de 2008, junto com o aumento do preço do petróleo no mercado internacional.

Tudo somado, as ações da companhia caíram aos menores níveis até então. Alguns investidores estavam saindo pelos maus resultados financeiros; outros porque tinham de cobrir as perdas de outros investimentos; e mais alguns saíam em decorrência da desconfiança geral dos mercados com a crise do Lehman Brothers e o estouro da bolha imobiliária norte-americana.

A tempestade perfeita chegou. Tivemos de rever nossos planos, cancelar as rotas internacionais para a Europa e mudar diversas rotas domésticas que estavam gerando prejuízos operacionais. Precisávamos repensar nossa estratégia de operação e crescimento. Pela primeira vez em nossa história, estávamos reduzindo nossos objetivos, e, pelo terceiro ano consecutivo, tivemos resultados financeiros piores do que aqueles planejados originalmente.

A confiança em nossa invencibilidade estava abalada. Ficava claro ali que, assim como qualquer ser humano, não éramos infalíveis. Percebemos que estávamos longe de sermos tão soberanos como chegamos a pensar nos momentos mais exuberantes da curta história da GOL – até porque existem fatores externos que podem mudar o curso da vida. Depois de diversos anos de realizações positivas, estávamos experimentando o gosto amargo da perda de valores e negócios.

Hoje posso dizer que essa situação nos deixou ainda mais fortes, mas na época foi um grande baque para nós, acionistas e para a nossa equipe. Alguns funcionários inclusive aproveitaram a situação desfavorável para abandonar o barco, indo trabalhar em algumas concorrentes. Manifestações internas e externas que antes eram exclusivamente de euforia, sucesso e animação, naquele momento se transformariam em frases com os termos "derrotados e fracassados".

O mercado financeiro é o mais cruel de todos. Enquanto tudo dá certo e a empresa gera resultados positivos, todos aplaudem você. Mais do que isso, elevam você, sua equipe e sua empresa à condição de "midas". Quando o cenário se inverte, no entanto, a reação é ao contrário, na mesma proporção: você se torna incapaz, ineficiente e digno de vaias. Os resultados negativos significam uma doença, como se você fosse um leproso, num efeito cascata capaz de derrubá-lo e fazê-lo cair aos piores níveis de confiança. Todos os seus movimentos passam a ser questionados, mesmo quando parecem bastante assertivos.

Um levantamento do portal UOL publicado naquele fatídico mês de setembro de 2008 apontava que a queda na Bovespa atingira ali a maior desvalorização desde o atentado terrorista de 11 de setembro de 2001. A queda chegava a 66%. E, infelizmente para nós, a GOL amargava a segunda posição naquele *ranking* indesejável – perdia apenas para as ações da própria BM&F e Bovespa, que a partir dali eram uma só.

Foi uma fase muito difícil, e somente quem já viveu isso sabe o que significa. Nossa persistência, porém, é muito mais forte do que a falta de confiança do mercado ou abalos circunstanciais – mesmo os abalos mais poderosos, surgidos de uma tragédia humana ou de um colapso nas bolsas de valores. Ainda tínhamos muito a oferecer, e, assim como não existe bonança eterna, também não existe mal que perdure.

Estávamos de joelhos, mas prontos para levantar e correr novamente. A união explícita entre acionistas, conselheiros e colaboradores era muito forte, e sabíamos que tínhamos capacidade de dar a volta por cima e voltar a crescer de forma ordenada e eficiente. Não tínhamos desaprendido nossa função e, pelo contrário, nos sentíamos ainda mais preparados para o que pudesse vir. É nesses momentos difíceis que os melhores se renovam e desabrocham.

– Vamos em frente, pois continuamos a ser o "Time de Águias" – repetíamos internamente.

Foi nesse espírito de superação que terminamos 2008, esperançosos com o que protagonizaríamos nos anos seguintes.

20

Corte na própria carne

— Nosso pai fez tudo por nós. Não gostaríamos de chegar a esse ponto.

Estávamos naquela reunião em São Paulo eu, Júnior e o consultor Mário Rosa, a quem havíamos chamado, às pressas, direto de Nova York, onde ele mergulhara num período sabático com a família. Rosa era — e é — conhecido como um dos mais competentes gestores de crises do país. E tínhamos ali uma crise e tanto para resolver: não um acidente, não mais uma nova tragédia envolvendo centenas de mortes de passageiros, não uma crise financeira, fruto dos solavancos nacionais e internacionais que fazem parte da rotina do setor aéreo. A crise era Nenê Constantino, nosso pai.

— Ele fez tudo por nós. Podemos não chegar a esse ponto — insisti, numa mistura que passava tanto pela convicção de tudo o que nosso pai representava para nós e para os nossos negócios, quanto pelo reconhecimento de que, no fundo, aquele seria um caminho inevitável.

Estava em jogo ali a possibilidade de Nenê precisar deixar o Conselho de Administração da GOL. Uma companhia aberta muitas vezes sofre, nas crises, muito mais do que aquelas de capital fechado. O mercado financeiro, como já escrevi antes, é especialmente cruel, implacável. Os humores de investidores mudam ao sabor do vento e dos interesses imediatos, e qualquer respingo externo — mesmo num caso que nada teria a ver com a governança, as práticas, os feitos e os resultados da empresa – é capaz de provocar um estrago gigantesco. E, naquele caso em especial, estávamos tratando do "dono da GOL", como a mídia costumava se referir ao meu pai.

Naquele mês de setembro de 2009, ele era o presidente do Conselho de Administração da GOL e visto como a pessoa que nos apoiara na fundação da empresa, o nosso mentor. E alguns meses antes ele havia sido empurrado para o epicentro de uma acusação ruidosa, trágica e cruel que gerou diversos processos judiciais contra ele.

Foi difícil, mas eu mesmo, que ponderei inicialmente que poderíamos não chegar àquele ponto, formei convicção sobre a necessidade de ele deixar o Conselho. Era a ordem extrema, mas necessária, naquele momento de crise, para preservar uma companhia aberta. Ele acabou renunciando à posição.

Coube a mim conversar com ele, em sua casa, em Brasília. Fui para lá sabendo que teríamos uma conversa dolorosa.

– Você vai ter de sair – disse-lhe, diante de seu olhar incrédulo, pesaroso, preocupado e frustrado. – É um processo criminal muito grave, não podemos mantê-lo no Conselho de Administração da GOL. O melhor é sair do Conselho.

Aquele processo atrapalharia a companhia, argumentei.

– Até para a sua defesa será melhor. O nível do holofote e das pressões... tudo vai aumentar a partir de agora – sugeri.

Nem precisei insistir muito. Ele sabia que uma coisa era sua vida privada e o que ele significava para nós e para tudo o que havia construído em sua longa trajetória de empreendedor. Outra coisa, bem diferente, era sua posição estratégica à frente do Conselho de Administração, incompatível com o calvário que enfrentaria a partir dali na sua defesa judicial. Deixar a empresa era uma forma, na prática, de ajudá-lo a reduzir o impacto daquelas acusações e permitir que ele se concentrasse no mais importante: sua defesa.

Eu tinha convicção de que aquela medida era a melhor para ele e para todos nós – e especialmente para a empresa e para o time de colaboradores. Mas o sofrimento com aquela situação se mostrava inevitável.

Convém dizer que, naquele momento, meu pai ocupava um posto muito mais honorário e consultivo, era muito mais um presidente de honra com trabalho de mentor do que propriamente um executivo que comandava as diretrizes e o funcionamento de uma empresa aérea no dia a dia. Ele estava com 78 anos de idade. Mas havia uma simbologia forte no seu posto – seu passado, seu histórico, suas contribuições, sua incrível capacidade de trazer ideias, o peso positivo de sua presença para nós, seus filhos, e também para os diretores, para os colaboradores, para a empresa em geral. Até hoje, com 89 anos, suas ideias são especiais e estimulantes.

Envolvido num grave dano de imagem, aquele momento contrastava enormemente com o seu "perfil austero e discreto consolidado ao longo de sessenta anos como homem de negócios bem-sucedido", como definiu o jornal *Correio Braziliense* ao publicar um perfil sobre ele naquele ano.

Mário Rosa contaria anos depois, no livro *Entre a glória e a vergonha: Memórias de um consultor de crises*:

> Nenê Constantino era um típico empreendedor brasileiro da segunda metade do século XX. Começou seu império dos ônibus municipais e estaduais antes de haver estradas no Brasil. Não era ph.D. em nada. A não ser na vida. Viu tudo, fez tudo e sempre se impôs: já pensou o que é comandar uma garagem de ônibus na periferia de uma cidade cheia de peões? A coragem pessoal de seu Nenê fazia parte do folclore.

Rosa descreveu o episódio: "Seu Nenê deixou a posição no conselho. *[Seus filhos]* Preservaram uma companhia aberta com aquela medida extrema. No campo pessoal, nunca abandonaram o pai. Cortaram na própria carne e deram um exemplo de sangue-frio".

Sua saída foi uma decisão dura, mas, repito, necessária para restabelecer a confiança do mercado na nossa capacidade de reação, abalada pelo episódio. Como descreveu Mário Rosa,

> [...] companhias aéreas estão para o gerenciamento de crises como Las Vegas está para os cassinos. É uma atividade em que, todos os dias, em todas as horas, em todos os lugares, há perigo no ar. Por isso, é o setor que mais se prepara e tem uma cultura neural de reação a crises. É uma usina de decisões pragmáticas em escala.

E é mesmo. Nossa cabeça foi forjada para tomar decisões pragmáticas em escala. Assim se deu nos episódios dos acidentes e assim ocorreria quando o nosso próprio pai virou alvo de uma crise. Tudo o mais a fazer a partir dali seria dedicado a restaurar a confiança do mercado, e o pacote de reação incluiria mudanças na esquipe gestora e no Conselho de Administração, garantindo uma reoxigenação na gestão da companhia.

Havia no conselho outros três excelentes nomes, e o ideal era que um deles fosse escolhido para a presidência: Álvaro de Souza, Antonio Kandir e Luis Kaufmann. Além de já integrarem o conselho e conhecerem a companhia de perto, eram nomes respeitados pelo mercado. Sabíamos que um deles precisava ser o presidente que substituiria Nenê.

Álvaro de Souza acabou assumindo o posto. Ele foi presidente do banco Citibank Brasil e membro dos conselhos de administração de empresas importantes, como Comgás, AmBev, Unidas, British Gas e Roland Berger. E, sobretudo, exibia plena capacidade de montar um projeto de reestruturação da GOL depois daqueles sucessivos episódios de abalo.

– Eu topo – garantiu, concordando com a nossa ideia de reestruturar a administração da empresa e reposicionar a marca.

Foi aí que a GOL aumentou o número de conselheiros independentes e chamamos o Mário Rosa para nos ajudar no reposicionamento de imagem.

❖ ❖ ❖

Reinventar, renovar, reerguer eram algumas das palavras de ordem dentro da empresa após as crises de 2007 e 2008. Apesar da desconfiança de alguns agentes do mercado, ainda havia um apoio bastante forte e sincero de nossos principais fornecedores, dentre os quais a Boeing, o fabricante de nossas aeronaves, e alguns "lessores", que são os arrendadores dos nossos aviões.

Talvez pouca gente saiba, mas no setor aéreo quase nunca a pintura que está num avião indica quem é o seu dono. Há as empresas de *leasing*, a quem uma aeronave pertence – ainda que toda a operação e a manutenção fiquem a cargo da companhia aérea. A cada mês, uma parcela do *leasing* deve ser paga pela empresa aérea ao dono da aeronave (não são raros, em situações de crise, os casos em que uma empresa de *leasing* entra na Justiça para retomar as aeronaves cujas parcelas não estão sendo pagas).

Pois nossos lessores nos deram grande suporte mesmo em momentos de crise. E, acima de tudo, nos mostraram que a aviação é um setor bastante volátil, com os frequentes altos e baixos em suas operações.

Foi assim que superamos as dificuldades do ponto de vista financeiro antes mesmo do episódio do meu pai. Arrumamos a casa, devolvemos algumas aeronaves com baixa produtividade e eliminamos definitivamente algumas rotas deficitárias. Também foi possível capitalizar a empresa com a venda de algumas aeronaves que tinham um bom preço de mercado, reforçando nosso caixa.

O poder de reação da equipe superou a força negativa de alguns opressores. Um fator adicional importante foi o arrefecimento da escalada do preço do petróleo: com a crise financeira global de 2008 e um novo acordo entre os países produtores, o preço voltou aos patamares anteriores, caindo ao nível de US$ 50 o barril depois de atingir US$ 150, marca que abalava enormemente a operação de qualquer companhia aérea.

Com as mudanças estruturais e ajustes pontuais, restabelecemos a normalidade nas operações, e 2009, antes do episódio Nenê, seria um ano de estabilidade e retomada. Ainda que os nossos novos concorrentes do mercado estivessem cada vez mais ativos, especialmente Webjet, Azul e Trip, que naquela época ainda caminhavam separadas.

21

Superando traumas para a retomada

Passado primeiro o trauma financeiro e depois o trauma judicial e de imagem, entramos no ano de 2010 com força: empresa estável e resultados convincentes, e sem nenhum fator externo que nos levasse nem ao inferno nem ao céu. Em outras palavras, nada capaz de nos prejudicar, nem nos permitir voltar a crescer no ritmo estabelecido no início de nossa operação. Aquele seria o ano da renovação do Conselho de Administração, da equipe gestora e do reforço operacional e comercial.

Esse reforço seria completado com o acordo de *codeshare* feito com a companhia aérea norte-americana Delta Airlines. Foi o primeiro de muitos anos de parceria com essa companhia, importantíssima no mercado aéreo internacional.

Codeshare, para quem não tem a obrigação de saber, é o nome dado ao compartilhamento de códigos e voos. Trata-se de um jogo de interesses bastante complexo: nesses acordos e alianças, o grande objetivo é controlar a oferta, projetar demandas e rotas, mirar antecipadamente nas tendências futuras que resultam no planejamento de frotas pelos dez anos seguintes. Num mercado extremamente volátil, é possível imaginar que a tarefa não vem a ser nada fácil.

O compartilhamento de códigos e voos é fundamental para ocupar espaços, casando voos internacionais e rotas domésticas, ampliando a oferta e garantindo capilaridade a companhias aéreas – é o que tornaria possível no futuro, por exemplo, um passageiro paranaense sair de Londrina, no sul do Brasil, para Seattle, nos Estados Unidos, usando o mesmo código.

Em julho de 2010, assinamos um acordo para oferecer aos membros dos programas de relacionamento Smiles, da GOL, e SkyMiles, da Delta (o mais antigo programa de fidelidade no segmento de viagens), a possibilidade de acumular milhas em todos os voos operados pelas duas empresas. O resgate dos benefícios foi possível a partir do segundo semestre daquele ano. O compartilhamento dos voos completaria e sedimentaria o acordo. Na época, a Delta oferecia cerca de trinta voos semanais sem escala entre Estados Unidos e Brasil. Esses voos incluíam serviços entre Atlanta e São Paulo, Rio de Janeiro, Brasília e Manaus, entre Nova York e São Paulo, e entre Detroit e São Paulo.

O acordo era benéfico para as duas empresas e para os passageiros. Graças a ele, imediatamente a Delta passaria a contar com 56 voos da GOL entre São Paulo, Rio de Janeiro, Brasília e quinze outros destinos brasileiros, incluindo algumas das principais capitais do país e Foz do Iguaçu. "A Delta continua a aumentar a rede na América Latina graças aos parceiros fortes e visionários como a GOL, permitindo que nossos clientes possam voar diretamente numa rede expandida por todo o Brasil", declarou na época o vice-presidente da Delta para a América Latina e Caribe, Nicolas Ferri.

Para a GOL, a nossa estratégia internacional, que incluía ainda compartilhamentos com Air France–KLM e Aerolíneas Argentinas, entre outras, significava um incremento considerável: encerramos 2010 com um aumento de mais de 27% no tráfego internacional, índice que continuaria crescendo no ano seguinte.

O acordo com a Delta, consolidado no fim de 2011, ia além. Os norte-americanos não fariam qualquer acordo com nenhuma outra companhia aérea brasileira durante cinco anos e ainda se comprometiam com um aporte de US$ 100 milhões, que representava, na época, 3% do capital da empresa. A confiança deles era total: enxergavam em nós um parceiro vencedor nos anos seguintes. A negociação incluía ainda presença no Conselho de Administração, assento que seria ocupado diretamente pelo presidente da empresa, Ed Bastian.

A algumas de nossas boas escolhas se somava um contexto econômico favorável. O Brasil ainda exibia números exuberantes de crescimento, embora não mais com a mesma capacidade e credibilidade dos anos anteriores. O governo seguia popular frente aos eleitores, mas já recebia diversos questionamentos por parte dos agentes econômicos. A fase de lua de mel do governo petista havia terminado, e muitos se questionavam sobre quem poderia substituir o presidente Lula na eleição presidencial de 2010.

Para completar, havia um problema no ar para o presidente: seus maiores assessores estavam afastados por problemas de corrupção e/ou atos ilegais flagrantes. Restavam-lhe poucas opções realmente consistentes, além de um grande desgaste institucional. Em contrapartida, seus opositores não tinham muito brilho e não pareciam exibir condições de ameaçar a soberania do mais popular presidente da República que o Brasil já teve. Lula acabaria escolhendo Dilma Rousseff, aquela que foi ascendendo no governo após a saída dos auxiliares mais importantes do presidente, comandou a Casa Civil e se tornou, aos 62 anos, a primeira mulher a comandar o país.

Lula não só elegeria a sucessora com folga – foi a mais votada entre todas as eleições já realizadas no país até então, com 56%, contra 44% de José Serra, do PSDB – como também encerraria seu mandato com mais de 80% de aprovação popular, um feito absolutamente inédito.

Enquanto Dilma iniciaria seu mandato com toda a força popular possível e uma ampla maioria no Congresso – o que, sabemos, não resultou numa gestão de conforto –, nós entraríamos em 2011 preparados para voltar a crescer e com o espírito de confiança restabelecido. Decidimos ali, em meados daquele ano, adquirir a Webjet. A compra permitiria que a empresa pudesse, definitivamente, assumir a liderança do mercado doméstico brasileiro, naquela época ainda nas mãos da TAM.

Era uma briga bonita de ser travada. Passamos a compartilhar a liderança percentual a percentual, voo a voo, passageiro a passageiro. Ora eram eles na frente, ora era a GOL, mas sempre num ambiente altamente competitivo e aguerrido. Nossos concorrentes poderiam até pensar diferente, mas essa competição sempre foi para nós extremamente saudável e estimulante. Como não queríamos perder aquela disputa, a compra da Webjet era importante para consolidar a nossa retomada e demonstrar ao mercado financeiro que a crise tinha sido coisa do passado. E mais do que isso, que a empresa viveria dias muito melhores no futuro. Foi uma decisão empresarial relevante, bem pensada e bem-sucedida.

Como sempre desde a criação da empresa, participei ativamente das negociações – das primeiras conversas até a formalização do contrato de compra e venda. As negociações fluíram bem. A Webjet pertencia a Guilherme Paulus, fundador da CVC. Tinha uma dívida de aproximadamente R$ 250 milhões, sendo boa parte de curto e médio prazo.

O negócio era bom para as duas famílias – Paulus e Constantino – e para as duas empresas. A CVC precisava da gente por causa da dívida e pelos altos custos operacionais da Webjet. E nós precisávamos deles para ganhar ainda mais capilaridade de malha com a aquisição. A Webjet tinha voos complementares aos nossos, além de *slots* em Brasília e Guarulhos.

Após fecharmos o negócio e estarmos na fase de assinatura dos contratos, um evento reafirmou o poder de comunicação e de mídia do setor aéreo. Estávamos em São Paulo, no escritório de nossos advogados junto com os executivos da Webjet, lendo os detalhes finais da minuta, quando todos começaram a receber mensagens em seus celulares. O negócio vazara. Estava em todas as mídias digitais. "A Gol Linhas Aéreas acertou a compra de sua concorrente Webjet, quarta maior companhia aérea do país. O anúncio será feito por volta das 17h de hoje", dizia, por exemplo, o site da revista *Exame*, no meio da tarde de 8 de julho de 2011. Muitos outros replicavam notícia similar.

Ou seja, ainda nem tínhamos assinado o contrato, mas todos os detalhes da negociação já se tornavam públicos. Ao deixarmos o prédio no final da noite, diversos repórteres nos aguardavam. Como não era hora de falar com a imprensa sobre o assunto, saímos pela garagem a fim de escapar do apetite da imprensa. O que chamou minha atenção é que não se tratava de um negócio tão expressivo. A Webjet não só era a quarta companhia aérea do país como também estava longe de despertar a comoção nacional que a Varig inspirava, por exemplo. Tampouco o negócio exibia números financeiros exuberantes. Mas se tratava de uma negociação entre duas empresas aéreas, o que por si só atraía a curiosidade de toda a mídia.

❖ ❖ ❖

Entre 2011 e 2012, daríamos outro passo estratégico: decidimos segregar o programa de fidelidade Smiles da companhia, criando uma estrutura totalmente independente. Antes abrigado sob a controladora VRG Linhas Aéreas, que concentrava também o negócio de viagens aéreas da companhia, Smiles passaria a ser uma subsidiária dedicada exclusivamente ao negócio.

Aquela era uma tentativa clara e acertada de escalar o seu crescimento. E um passo fundamental para a oferta inicial de ações do Smiles, abrindo o capital do programa de relacionamento. Estratégia similar já havia sido adotada por outras companhias aéreas mundo afora. Se o negócio de viagens fatura dez bilhões e seu programa de fidelidade fatura um bilhão, essa diferença exige disciplina muito forte quando as duas coisas operam debaixo de um mesmo guarda-chuva. É preciso não só disciplina, como também foco e estratégia. Em outras palavras, segregar significaria garantir-lhe estratégia, relevância e... crescimento.

Deu certo. Aquela decisão gerou bons frutos no futuro, pois a empresa conseguiu crescer e se transformar no maior programa de fidelidade do país. Em 2012, com capital aberto, como já pude escrever, a Smiles obteria ótimos lucros e faturamento na casa dos R$ 2 bilhões.

22

Do campo para a comissão técnica

Após onze anos de atuação no mercado, a GOL já não era mais uma iniciante, e alguns desgastes ocorridos com o tempo passavam a se tornar explícitos. O ano de 2012 chegara depois de um período de profundos desgastes e mudanças estruturais.

O mundo também havia enfrentado um ano de transformações – Osama bin Laden, o terrorista mais procurado do mundo, fora morto por soldados norte-americanos, os Estados Unidos anunciaram a saída do Afeganistão, a Coreia do Norte e o Irã representavam grande ameaça internacional, a União Europeia enfrentou uma crise econômica profunda, o *Occupy Wall Street* desafiou, nos Estados Unidos, os mercados financeiros e o poder tradicional, num movimento que se espalhou mundo afora, e, no Brasil, enquanto um massacre numa escola em Realengo, na zona oeste do Rio, causava comoção nacional, a economia entrava em solavanco já naquele primeiro ano de mandato de Dilma Rousseff.

Agora, 2012: precisávamos mais uma vez de renovação. Os negócios não estavam mais com aquela alegria exuberante dos primeiros anos da GOL. A mudança na gestão de nossa equipe não gerou os resultados que desejávamos. A compra da Webjet não surtiu os efeitos esperados. Nosso Conselho de Administração e nossos acionistas demandavam mudanças estruturais, mas sem nunca abrir mão da essência da empresa. O próprio presidente do Conselho de Administração, Álvaro de Souza, demonstrava intenção de deixar a empresa – ele interpretava que seu ciclo no cargo já havia se cumprido. Mais mudanças à vista.

Para completar aquele ciclo, os anos sucessivos de crises, solavancos, problemas e desafios praticamente diários pareciam ter levado o principal executivo da empresa, meu irmão Júnior, a um cansaço. Apesar de todo o seu brilhantismo, ele parecia fatigado com os efeitos de um cargo desgastante, com muita atividade diária e muita manifestação popular, política e do mercado financeiro.

O mercado de aviação é fascinante e, por isso mesmo, aparece exposto diariamente em todas as mídias e em todos os corredores dos poderes Judiciário, Legislativo e Executivo. Como já escrevi em capítulos anteriores, a aviação é assunto de botequim – uma vez que a grande maioria da população usa, vive ou viveu algum evento relacionado ao setor aéreo, quase todo mundo se acha, no fim das contas, um *expert* em aviões e em negócios da aviação. Como assunto latente na sociedade, acaba gerando uma demanda muito alta dos gestores da empresa.

Aqui relembro novamente outro trecho do livro de Mário Rosa, que foi nosso consultor durante alguns anos: "Embora as tragédias aeronáuticas é que marquem o imaginário coletivo, cada dia numa empresa aérea é um salve-se quem puder. Qualquer mínima polêmica vira um escarcéu de potenciais e bíblicas dimensões midiáticas".

Era um fluxo incessante de trabalho. Uma informação saía da base remota, percorria toda a hierarquia, atingia o topo da direção em São Paulo, era processada, e o procedimento ideal, adotado. Tudo em pouquíssimos minutos, como contou o consultor. Uma atividade exaustiva do ponto de vista neural e físico, claro.

Pessoalmente, cansei de receber telefonemas de pessoas conhecidas pedindo apoio para resolver problemas no embarque relacionados a elas mesmas. Eram pedidos em profusão: alteração no horário, obtenção de passagens de graça, liberação de excesso de bagagem, pedidos de marcação de assento ou liberação de embarque sem documento original que as identificasse (como manda a legislação), ou ainda clamores diretos para viajar com criança menor de idade sem qualquer autorização formal dos pais.

Um dia, por exemplo, recebi o pedido costumeiro:

– Quero mudar o horário do meu voo – o interlocutor avisou, pelo telefone.

Poucos minutos depois retornei a ligação, informando que era possível, sim, a mudança. Mas custaria R$ 2 mil. A resposta:

– Então deixa. Vou nesse voo mesmo.

Em outro telefonema, alguém também me pedia para colocá-lo em outro voo.

– Tudo bem, eu te ajudo. Me passa o localizador.

Silêncio do outro lado da linha. Insisti.

– Agora que percebi. Meu voo é na TAM. Foi mal.

Tempo perdido.

Houve também o caso pitoresco envolvendo a posse da presidente Dilma Rousseff. Na véspera, liga uma secretária da Presidência da República.

– O vestido está atrasado para a posse – disse ela, desesperada.

Sim, o vestido havia sido encomendado à estilista gaúcha Luisa Stadtlander, fiel amiga de Dilma – foi de Luisa o vestido de noiva do casamento de Paula Rousseff, filha da presidente. Ocorre que o vestido precisava sair num voo de Porto Alegre para Brasília no dia anterior à posse, marcada para 1º de janeiro de 2011.

– Mas tem um problema a mais: não pode dobrar – completou a secretária.

E lá fomos nós reservar a fila inteira no fundo da aeronave para o vestido que a nova presidente usaria no dia seguinte. O vestido entrou antes de todos os passageiros e usou os três assentos do fundo – e ninguém notou.

Em outro momento, recebi um telefonema de um ministro de um importante tribunal superior brasileiro.

– Ô, Henrique, meu amigo – anunciou o tal magistrado, demonstrando de imediato que, nessas horas, você sempre será o "amigo" pronto para socorrê-lo, ainda que nenhuma intimidade houvesse entre ambos. – Ô, Henrique, assim não vou embarcar.

– O que houve, ministro?

– Minha secretária marcou a poltrona 1A e, você acredita?, me colocaram na 2A.

Uma checagem de alguns minutos levava à explicação: a aeronave daquele voo não tinha a poltrona 1A, pois a primeira fileira, por questões operacionais, havia sido retirada. Em outras palavras, a poltrona 2A era, na prática, a primeira da fila de assentos.

– O senhor vai estar na frente, com bastante espaço para suas pernas – avisei-lhe.

Ele não se convenceu com a explicação. Para ele, 2A significava o segundo posto.

Depois de muito explicar a situação e conversar com a esposa, coube a ela, enfim, explicar ao ministro que não haveria prejuízo naquela mudança. Sim, ele teria um grande conforto.

Cito esse episódio como símbolo da sucessão de demandas e chamadas que pessoalmente recebi ao longo dos anos. Se eu, como fundador e conselheiro da empresa por vários anos, e mesmo hoje afastado, recebo chamadas regulares com pedidos do gênero, imaginem um presidente ou vice-presidente executivo da companhia. Tudo isso obviamente resulta em desgaste físico e mental bastante acentuado.

Do Congresso Nacional recebíamos, em média, cerca de vinte pedidos por mês. Dos Procons estaduais, outras dezenas. De representantes do Ministério Público, idem. Quando me afastei, a empresa tinha em torno de trezentos processos contra ela, com reclamações desde o serviço de bordo até a falta de reclino da poltrona nas saídas de emergência. Às vezes demandas importantes, mas a grande maioria de caráter incipiente e, por vezes, desnecessária.

O Brasil, não à toa, responde por demandas de passageiros na Justiça muito mais do que os outros países do mundo – 50% a mais, segundo cálculos oficiais, mesmo representando menos de 2% dos passageiros transportados. Não sei dizer se é cultural ou sinônimo de oportunismo, mas essa é uma situação que deixa o Brasil na lista dos países em que é mais difícil empreender.

Não estou dizendo com isso que não devemos ter os órgãos de fiscalização e controle, nem que os consumidores não possam reclamar, mas entendo que, comparados com os de outros países, esses órgãos governamentais e o excesso de demandas são incompatíveis com o nível de serviços prestados pelas companhias aéreas brasileiras, que estão entre as melhores do mundo. Mas essa é uma realidade que precisamos viver e trabalhar para resolver.

Agora é possível imaginar toda essa rotina de desgastes acrescida da operação em si, que já exige uma força monumental no dia a dia – foco, disciplina, energia e desgaste de curto prazo associados à necessidade de visão de longo prazo. Some tudo isso à longevidade do presidente à frente da empresa: Júnior estava no cargo desde 2001. E naquele momento, em 2012, era visível a situação de desgaste e a sensação de cansaço.

Era preciso desenhar e executar a maior mudança de todas.

23

A mudança

Ao longo de vários meses entre 2011 e 2012, era nítida a impaciência do nosso presidente executivo. Percebi isso com muita clareza, embora Júnior não admitisse nem sequer para os irmãos. Mas acabei sugerindo que fizéssemos uma mudança na direção: assumiria o cargo de presidente do Conselho de Administração e buscaríamos juntos um novo presidente executivo para assumir seu lugar na gestão diária da empresa.

– Saindo da rotina você vai ter melhores condições de ajudar na estratégia e buscar novos negócios e sinergias – argumentei com Júnior.

Sempre adotei a máxima de que o músico que está fora da banda acaba ouvindo melhor o que está sendo tocado. Se o Júnior saísse da pressão cotidiana, poderia produzir ainda mais do que produzia e, assim, poderíamos voltar a buscar novas oportunidades empresariais. Era uma mudança radical, sem dúvida, mas onze anos à frente de uma companhia aérea geram impaciência incomum mesmo em situações recorrentes. Algo certamente danoso para a gestão da empresa.

A pressão rotineira agrava isso, e eu via o Júnior cansado – ou, para usar um português bem claro, "de saco cheio". E com frequência. De jornalistas encrencando com algo que deu errado aos pedidos de autoridades "amigas". Dos desafios do crescimento ao chamado caos aéreo. Da Varig aos humores do mercado financeiro – para quem saímos, com a diferença de minutos, do trono de reis da aviação para a condição de quem não entende nada de transporte aéreo.

Seguiram-se várias reuniões para isso, envolvendo, claro, o então presidente do Conselho de Administração, Álvaro de Souza, meus irmãos e, mesmo afastado, meu pai.

Júnior demonstrou receio, no primeiro momento, de minha sugestão, o que era de se esperar. Aos poucos, porém, percebeu que poderia ser bom para a empresa e também muito bom para ele na vida pessoal, habitualmente prejudicada pelas infindáveis horas de dedicação à gestão. À frente do Conselho de Administração, ele não só poderia focar naquilo que é mais estratégico e essencial para a companhia como também garantir mais tempo para ficar com a família.

Ele topou. E assim saímos em busca de um novo presidente executivo.

Depois de alguma procura, olhamos para dentro de casa e convidamos um jovem talento que já estava atuando conosco no Conselho de Administração desde 2010: o competente Paulo Kakinoff. Nascido em Santo André, ABC Paulista, Kaki, como o chamamos, tinha sido o presidente da Audi no Brasil – ele havia dedicado todos os dezenove anos de vida profissional à indústria automobilística, o que obviamente surpreendeu o mercado. A presidência da marca de luxo Audi, que ele ocupou por três anos, era vista como trampolim para voos mais altos do setor.

Se Júnior demonstrava receio de deixar a presidência do Conselho, meu pai demonstrava resistência de ser alguém como o Kaki. Não exatamente uma resistência direta ao jovem executivo, e sim ao fato de alguém de fora da família comandar o dia a dia da empresa que havíamos criado – visão contra a qual bati frontalmente. Para mim, não era mais a hora de ter alguém da família dirigindo a companhia. Éramos uma empresa grande, de capital aberto, com todas as regras de governança para as quais se deve prestar atenção.

Nesse tipo de caso também não existe o certo e o errado. Não havia, nem há, uma regra definida para o caminho do sucesso – basta lembrar os exemplos do Magazine Luiza e do Itaú, empresas grandes de capital aberto comandadas por integrantes de famílias controladoras. Depende muito mais das circunstâncias, das oportunidades e das escolhas. Para mim, as circunstâncias e as oportunidades exigiam aquele tipo de escolha.

E assim, em 2 de julho de 2012, aos 37 anos de idade, Paulo Kakinoff assumiu a presidência executiva da GOL, posto em que se encontra até hoje, no momento em que escrevo este livro. Kaki chegava no momento em que a companhia finalizava um processo de reestruturação que incluía redução de voos, de frota e de mais de dois mil funcionários. Em outras palavras, o processo mais duro para a retomada da empresa já havia sido feito. Caberia a ele apressar os resultados dessa companhia mais enxuta para que voltássemos aos lucros dos primeiros anos. Na sua primeira entrevista no cargo, as repórteres Cleide Silva e Marina Gazzoni, do jornal *O Estado de S. Paulo*, perguntaram-lhe:

– Como foi o convite?
– Foi há uns setenta dias – contou. – O Álvaro de Souza, presidente do Conselho de Administração da Gol na época, me chamou para conversar. Ele disse que, em um bate-papo com o Júnior, surgiu a possibilidade de me convidar para ser executivo da Gol. Isso nunca tinha passado pela minha cabeça. Eu venho de uma carreira de dezenove anos na indústria automobilística e o meu desenvolvimento natural era nesse setor. Houve uma possibilidade de mudança que me pareceu atraente. No dia seguinte, me reuni com o Júnior e seus irmãos Joaquim e Henrique e passamos a desenhar um modelo de gestão, que terá o Júnior como presidente do conselho e com uma grande proximidade da operação.

Sua chegada à presidência se deu numa transição correta, capaz de evitar qualquer interrupção mais brusca na mudança das duas empresas envolvidas – Audi e GOL. Foi a maior mudança estrutural que fizemos na empresa, e hoje posso dizer que foi a mais importante na governança da companhia.

Júnior demonstrou, e continua a demonstrar, exuberância em sua função de presidente do Conselho de Administração. Continua comandando as estratégias fundamentais e gerindo com maestria eventuais conflitos de ideias com acionistas, executivos e conselheiros. Kaki toca a empresa no dia a dia de forma organizada, responsável e metódica, como é típico de um executivo formado pela escola germânica. Há um ambiente harmônico e eficiente, o que não significa que inexistam divergências – até porque são as visões divergentes que constroem uma grande empresa.

Kaki exibe um grande poder de comunicação, característica que já me impressionou quando tivemos nossa primeira conversa, quando ele ingressou no Conselho de Administração da companhia. Típico orador com falas bastante organizadas.

O poder de comunicação do Kaki, somado à capacidade de liderança do Júnior, criou um novo patamar de comando na GOL. Toda a euforia e a garra características da equipe, adicionadas aos controles e processos organizados, potencializaram a capacidade de entrega de resultados. É claro que isso aconteceu ao longo dos anos, mas tudo foi fruto dessa decisão de renovação tomada em 2012.

Se Júnior demonstrou receio de início, isso se deu não por ele não querer ou porque fosse contra, mas pela sensação natural de estar entregando um filho para outra pessoa criar. Meu irmão viveu intensamente a GOL por doze anos, com doze a quatorze horas diárias de trabalho e dedicação. Mudar esse cenário de um dia para o outro não deve ter sido fácil. Era, portanto, previsível a sua resistência inicial.

Por outro lado, Kaki viveria uma sensação diferente. Ele trabalhava numa operação previsível, com planejamento de longo prazo altamente assertivo e sem grandes turbulências, muito menos demandas inesperadas. Na aviação, passaria a viver o absoluto inverso. Afinal, nesse setor, tudo muda constantemente.

Sejamos francos: na aviação, cada dia é absolutamente diferente do outro, e previsões raramente são alcançadas. Dias projetados para serem de pouco movimento podem se transformar em horas absurdamente intensas apenas com o fechamento de um aeroporto em decorrência do mau tempo. Dias tranquilos se tornam infernais com tempestades tropicais. Movimentos corriqueiros viram problemas com vulcões que explodem no Chile e jogam fumaça na Argentina. Uma programação de frota no Nordeste fica comprometida por qualquer evento de mudança na produção da Boeing em Seattle, nos Estados Unidos. O preço do petróleo pode disparar do dia para a noite se o presidente norte-americano resolver atacar qualquer país no Oriente Médio.

Em síntese, se há uma coisa que falta no setor aéreo é monotonia. E isso, tenho certeza, foi a maior mudança sentida por Paulo Kakinoff ao assumir a GOL. Também não deve ter sido fácil para ele. Mas, naquele inverno de 2012, certo ou errado naquele momento, tomou-se a decisão. Definia-se ali como seria a gestão da companhia nos próximos anos.

Hoje podemos dizer que deu certo, mas na época imperava a incerteza. Diferentemente da TAM, não promovíamos muitas mudanças na gestão. Basta lembrar que, entre 2001 e 2011, a GOL teve apenas um presidente; em vinte anos, dois. Enquanto isso, a TAM teve mais de dez. Não que estejamos certos, ou eles. São apenas culturas distintas.

Era uma decisão bastante complexa. Fui um dos grandes incentivadores daquela mudança, e estávamos todos convictos de que mudaria a empresa como nunca. E ainda mexeria com meu querido irmão, o que gerava um estresse adicional para mim. Tínhamos uma questão emocional na mesa, da mesma forma que eu já enfrentara quando decidimos pedir para nosso pai deixar a presidência do Conselho de Administração, dois anos antes.

E, por mais que não tenha sido assim, eu me sentia abalado. Em diferentes momentos, capitaneei duas iniciativas que retirariam dois integrantes da família de postos relevantes. Passou pela minha cabeça a sensação de estar traindo minha família. Ou de agir em nome de algum benefício próprio. Sempre pensei no negócio, na empresa, nos dezesseis mil colaboradores da época, na preservação do legado que começamos a construir anos antes. Ao mesmo tempo, me senti insensível, atropelando a própria família em nome de algo maior. Eram decisões racionais, mas com grandes consequências emocionais.

Estou defendendo a atitude correta? – eu me questionava. *Estou magoando alguém?* Ao passar o bastão, sei que Júnior sofreu. Ou, no mínimo, aquela mudança drástica gerou um imenso desconforto. Ele nunca veio a admitir, nunca conversei com ele sobre isso, mas senti seu abalo.

Mesmo sem titubear, sofri muito ao tomar aquelas decisões, defender aquelas mudanças e suportá-las. E não imaginava que, quatro anos depois, chegaria minha hora. Por ironia do destino, e dos nossos atos, seria eu o objeto da mudança.

24

Forças contrárias

– Não sei exatamente o que ela tem contra, mas definitivamente a presidenta não gosta de vocês.

A admissão, em tom de confidência, veio de Gilberto Carvalho, chefe de Gabinete da então presidente da República, Dilma Rousseff. Carvalho era um dos poucos interlocutores da alta cúpula do governo que exibia boa vontade com a GOL, com espírito republicano, sem preferência por nós ou por outros competidores do setor aéreo – como tinha de ser. No caso da presidente (ou da "presidenta", como todos do governo a tratavam), era nítida sua antipatia por nós, como admitia o seu chefe de Gabinete. No fundo, ele nem precisava nos dizer: a má vontade era evidente. Tanto que tentamos diversas vezes ser recebidos por Dilma, sem sucesso. O pior não era nem o fato de ela nos ignorar, e sim sua preferência declarada pelo empresário David Neeleman, o brasileiro-americano dono da Azul.

Neeleman sempre foi um empresário astuto e competente. Na prática, mais norte-americano do que brasileiro – aos cinco anos, mudou-se com a família para os Estados Unidos, e só reaprendeu português depois de adulto, ao passar uma temporada no Brasil como missionário. Mal falando português, tornou-se colaborador próximo de um governo nacionalista, sendo convidado pela presidente para participar do conselho de notáveis do governo. Nunca vou conseguir entender essa lógica. Mas o fato é que Neeleman e a Azul eram os queridinhos de Dilma.

O tom da preferência adquiria contornos nítidos na imprensa, inclusive na recomendação para aquisições. "Dilma quer que empresário brasileiro compre a TAP", dizia manchete do *Jornal de Negócios*, publicação de Lisboa, em 3 de junho de 2013, com base em informação da colunista Vera Magalhães, do jornal brasileiro *Folha de S.Paulo*. A *Folha* informava inclusive que o BNDES já teria oferecido, naquele momento, uma linha de crédito especial para viabilizar a operação.

Dilma era reconhecidamente forte, decidida e com posições muito firmes, mesmo que equivocadas e não recomendadas. E enquanto exibia sua preferência por Neeleman e pela Azul, fazia questão de demonstrar simpatia zero por nossa empresa – justamente a única companhia aérea verdadeiramente brasileira, controlada por brasileiros natos e residentes, sem dupla nacionalidade ou parceiros internacionais. A TAM era controlada por chilenos, desde a fusão com a LAN. A Azul era de Neeleman, que, embora brasileiro também, jamais deixou sua residência americana e tinha todos os diretores norte-americanos, e investidores, em sua maioria, estrangeiros. A Avianca tinha até o nome da empresa colombiana – e, entre os controladores, estavam os irmãos Germán e José Efromovich, também de várias nacionalidades e hoje não residentes no Brasil.

Mas o saco de pancadas do governo era a GOL.

Não chegávamos a ser *persona non grata*, mas, por mais que tentássemos, nenhuma relação minimamente saudável deslanchava. Se tivéssemos rasgado o vestido dela naquela fatídica viagem para chegar a tempo da posse eu até entenderia – ela teria motivos para o olhar torto. Mas nada. Em matéria de aviação, ela simplesmente só ouvia o empresário da Azul.

Aquele era um senhor desafio para a GOL e um grande teste para a nossa nova administração. Havíamos entrado em 2013 extremamente empolgados. A nova gestão estava com todo o gás. O novo presidente do

Conselho de Administração entendera sua importância no contexto daquele novo modelo de governança, com um Conselho ainda mais participativo na rotina diária da empresa. Nossas parcerias com as empresas Delta e Air France–KLM também estavam mais fortes a cada dia. Tudo parecia estar bem programado e com excelentes chances de êxito.

Nada poderia sair errado, mesmo com a nossa concorrência se fortalecendo – a fusão da chilena LAN com a TAM foi o movimento mais agressivo, mas a Azul seguia concluindo sua incorporação com a Trip, e a Avianca crescia de forma atabalhoada. O ambiente ficava cada vez mais competitivo, e nós ainda nos ajustávamos àquela nova realidade do mercado.

Como já escrevi, o setor aéreo é uma fonte clara para a demonstração da pujança – ou da debilidade – da economia. Mas num ambiente frenético de competição, esse mesmo setor é capaz de distorcer números e realidades, exibindo uma demanda irreal de passageiros, estimulados pelos baixos preços praticados. Como todas as empresas estavam buscando ganhar mercado a qualquer custo e disputar cada passageiro disponível, deu-se o pior para o setor: uma grande guerra de preços com passagens muito mais baratas do que o custo de transporte. O passageiro gosta desses momentos, claro, mas é uma artificialidade que só o prejudica no longo prazo.

Preciso admitir: a GOL era, naquele momento, a empresa mais frágil de todas. Tinha um passivo mais alto, com dívidas vencendo no curto prazo. E pior, enfrentava dificuldades para alongar tais dívidas. Com isso, mais uma vez, dúvidas começaram a pairar sobre nós. A cantilena se repetia, na crença, entre alguns adversários mais barulhentos e gente do mercado financeiro, de que iríamos quebrar. O ambiente de guerra tarifária se somava à alta alavancagem e à clareza de que o Brasil estava entrando em processo de recessão econômica. Tudo isso formava um caldo perigoso e arriscado, ampliando ainda mais a situação de desconforto em relação à GOL.

Precisávamos agir com rapidez. Buscamos ajuda de nossos parceiros internacionais, dentre os quais as companhias Delta e Air France–KLM, e fornecedores como Boeing e GE, além de todos os potenciais créditos que pudéssemos ter. Precisávamos buscar cada centavo para sair daquela incômoda situação. Sabedoras de nossa fragilidade econômica, as concorrentes partiram para cima de nós. Parecia aquele jogo de guerra combinado, em que todas resolvem colocar voos diretamente concorrentes dos nossos horários. Nunca conseguirei comprovar, mas as evidências de jogo de cartas marcadas eram claras. E certamente passamos a ser a empresa mais agredida.

Dava para perceber no Paulo Kakinoff um ar de preocupação extrema. Em seu primeiro ano de gestão, Kaki sentiu a pressão que o setor descarrega nos seus integrantes. Não bastava ter uma boa gestão interna, dependíamos fortemente de um ambiente externo favorável – da economia, do preço do petróleo no mercado mundial, das atitudes de nossos concorrentes, da boa vontade do poder concedente. Em síntese, por mais competente que você fosse, esses fatores externos, todos fora de seu controle, eram preponderantes – e poderiam, a qualquer momento, derrubar uma empresa aérea. Eram muitas as variáveis não gerenciáveis.

O governo era uma delas. Não porque queríamos ser amigos da presidente da República ou porque qualquer companhia aérea tem interesses obscuros para tratar com um integrante da alta cúpula do governo. Mas por uma razão óbvia: uma companhia de aviação comercial tem uma concessão de operar um serviço público, o transporte aéreo. É um serviço concedido e regulado pelo governo federal.

E, pela primeira vez em nossa história, tínhamos um governo claramente antipático a nós e à nossa causa. Nunca fomos frequentadores de palácios e gabinetes ministeriais, mas sempre fomos ouvidos e respeitados. Naqueles anos Dilma, no entanto, a situação se mostrava completamente diferente. Não só não éramos ouvidos como também, se pudessem, tirariam nossas licenças de operação. Havia uma clara aversão. Sem disfarces.

Em certo momento, chegaram a ameaçar a retirada de nossos *slots* de Congonhas para transferi-los para a Azul. Isso mesmo. Simplesmente porque queriam ajudar a Azul, companhia que operava com aeronaves fabricadas pela brasileira Embraer. As discussões eram quentes e beiravam a irracionalidade. Foi um período conturbado de nossa história.

Um dia estive com Arno Augustin, o todo-poderoso secretário do Tesouro do governo Dilma e autoproclamado um dos maiores conhecedores do país em concessões e Parcerias Público-Privadas, as chamadas PPPs. Em junho de 2013, a revista *Exame* desenhava a importância de Augustin: "Nunca um secretário do Tesouro ficou tanto tempo no cargo quanto Arno Augustin – e nenhum foi tão influente. Ele opina em tudo na área econômica. Com a bênção de Dilma", escreveu o repórter Patrick Cruz. A reportagem lembrava duas de suas autorias: o plano de renovação das concessões de energia elétrica (extremamente criticado); e o que ficou conhecido como "contabilidade criativa". Assim explicava a revista sobre a contabilidade criativa: "Em dezembro de 2012", escreveu a *Exame*, "ao perceber que não conseguiria poupar tudo o que pretendia para pagar os juros da dívida pública, o governo sacou da manga uma intrincada série de operações envolvendo títulos públicos, dinheiro do Tesouro, dividendos de estatais e outros numerários".

Em agosto daquele mesmo ano de 2013, a *Folha de S.Paulo* estampava em manchete: "Linha dura do governo azeda a relação com empresariado". A reportagem mostrava que um grupo de empresários, entre banqueiros, industriais e concessionários de serviços públicos, começava a ver o governo com maus olhos. Viam os investimentos travados, a inflação sob risco de sair do controle, o consumo com nítidos sinais de arrefecimento e o PIB crescendo pouco. E concluía: a relação com Dilma começou a se desgastar quando a presidente delegou a Augustin a tarefa de definir novas regras para os planos de concessão (aeroportos, rodovias, ferrovias e portos). Em agosto de 2014, a revista *Veja* assim o definiria: "O malvado favorito de Dilma Rousseff".

Augustin era também conselheiro da Embraer, a fornecedora de aeronaves da Azul.

— Vamos tirar seus *slots* de Congonhas – disse o conselheiro e secretário do Tesouro numa reunião com a GOL.

Questionei, rebati, contra-argumentei o que foi possível nessa conversa em meados de 2013, na Secretaria do Tesouro, na sede do Ministério da Fazenda, em Brasília. O governo queria retirar os *slots* da GOL e criar um fundo de assistência para a aviação regional – o modelo que Neeleman sonhava. A base desejada era Congonhas.

Tentei demonstrar para ele e sua equipe que aquela solução era falsa. Se retirasse nossos *slots* e dessem para a Azul ou para um consórcio de companhias de aviação regional, todo mundo iria voar para o mesmo destino, sem aumentar a capilaridade das rotas. Entre argumentos e contra-argumentos, Augustin se impacientou:

— Você não está entendendo. Vamos tirar seus *slots* de Congonhas porque é a melhor solução para o Brasil.

Contra uma tese dessas, sem uma base argumentativa concreta, absolutamente subjetiva, convém admitir: é impossível rebater.

— Vamos tirar seus *slots* de Congonhas porque é melhor para o Brasil – disse novamente, sem mais. Simples assim.

— Nem meu filho de sete anos de idade aceitaria uma resposta assim, secretário – respondi, com certo atrevimento, no que ele retrucou, encerrando a conversa:

— Se não está satisfeito com isso, problema seu.

Seria legítimo o governo pretender, por exemplo, deflagrar medidas para conter o crescimento de determinada empresa, evitando a concentração excessiva nas mãos de um competidor. Mas tirar poder de uma empresa para, de maneira discricionária, conceder para outra significa, na minha opinião e de muitos, fazer mau uso do seu poder. Congonhas é um ativo bastante importante, ninguém duvida. Mas, para mim, tirar um avião de 180 assentos da GOL para colocar um Embraer de cem assentos resulta, na prática, na piora significativa do uso desse mesmo ativo. Mas nem Augustin nem Dilma entendiam isso – ou não queriam entender.

Jamais entendi também o que um secretário do Tesouro fazia no papel de maior conhecedor do governo em matéria da aviação. Mas o fato é que era ele o tocador do tema. Enquanto isso, a ANAC simplesmente obedecia ao que o governo mandava, anulando assim o fundamento básico de uma agência reguladora – a independência funcional, apesar do governo da ocasião e da vontade política do momento, sem hierarquia com nenhum outro órgão.

Como não conseguiram tirar os *slots* na marra, instituíram regras mais duras para mantê-los em nossas mãos. Em outras palavras, tornaram mais fáceis as possibilidades de perdermos os *slots*. Qualquer mínimo atraso de voos, por exemplo, poderia significar a perda. Resultado: precisamos fazer grandes investimentos, aumentando o custo da operação em Congonhas. Tudo feito para prejudicar escandalosamente a GOL e ajudar outra empresa.

E assim, 2013 se tornou um dos anos mais desafiadores de nossa história. Talvez o mais desafiador, afinal, enfrentávamos ali um novo ofensor, muito mais poderoso e com efeito destruidor. Um verdadeiro adversário, com o poder da caneta e – hoje sabemos – o grande causador do maior estrago econômico do país em muitas décadas. Um estrago capaz de conduzir o país à pior recessão econômica de todos os tempos.

No final das contas, conseguimos nos segurar e manter nossa posição, apesar de todas as forças contrárias. O bom senso e a nossa força argumentativa prevaleceram. Foi difícil, mas vencemos.

Para compensar aquele duro 2013, aconteceram coisas maravilhosas em minha vida. Foi o ano em que me casei com Vanessa, minha amada e querida mulher, que, em todos os momentos de minha vida, me mostra a força verdadeira e generosa do amor. E também foi o ano que trouxe para mim os meus queridos e também amados enteados, Enzo e Pietro, que considero meus filhos.

25

Um interlúdio: recebendo o abraço do papa Francisco

Na minha infância e adolescência, me acostumei ao hábito de frequentar assiduamente as igrejas aos domingos, principalmente quando ainda morava em Brasília. Havia uma tradição a cumprir e um desejo prazeroso a continuar, afinal, meus pais sempre foram católicos fervorosos, e recebi essa influência desde criança. Com o passar do tempo, porém, me afastei um pouco da prática cotidiana do catolicismo, sobretudo depois de me mudar para São Paulo, momento em que minhas idas à igreja passaram a ser bem menos frequentes.

A mudança ia muito além da idade ou da transferência de Brasília para São Paulo. É que comecei a questionar algumas atitudes da Igreja Católica – sempre achei que ela precisava se modernizar e atualizar seus pensamentos. Esse déficit passou a existir tanto no fim do papado de João Paulo II quanto no de Bento XVI. A mudança da dinâmica social não aceitava mais alguns padrões ultrapassados praticados pela Cúria Católica. Diante dessa divergência de pensamentos, distanciei-me da igreja, assim como vejo muitas pessoas fazerem diariamente.

Em 13 de março de 2013, o argentino Jorge Mario Bergoglio se tornou papa, aos 76 anos de idade, na sequência da renúncia de Bento XVI. Assumia o Vaticano o papa Francisco, um pontífice histórico, não apenas por ser o primeiro da ordem jesuíta e o primeiro não europeu a assumir o papel em mais de 1.200 anos, mas também pela promessa de renovação da Igreja Católica e do catolicismo.

O papa Francisco não tardou a visitar o Brasil, o maior país católico do mundo. Na sua primeira viagem internacional desde que foi escolhido pelo Conclave daquele ano, o pontífice argentino veio presidir a Jornada Mundial da Juventude, que ocorreria no Rio de Janeiro, na segunda quinzena de julho. E foi ali o acontecimento inusitado que despertou em mim um interesse novo pela Igreja Católica, que pode estar no curso de uma mudança histórica nas mãos desse papa.

A Jornada da Juventude é um grandioso evento da Igreja Católica que envolve milhões de jovens do mundo inteiro. Haveria uma peregrinação em várias cidades do Brasil, culminando numa grande missa na praia de Copacabana, no Rio, com a presença do papa recém-empossado.

Durante aquela peregrinação por todo o Brasil, a GOL transportou em suas aeronaves a Cruz do evento, atendendo a um pedido do governo federal e da CNBB, dando todo o suporte necessário para a organização daquele importante acontecimento religioso. Falou-se em mais de dois milhões de pessoas somente na cidade do Rio de Janeiro participando da cerimônia. Em agradecimento a esse suporte, a organização do evento solicitou ao Constantino Júnior, presidente do Conselho de Administração da GOL, que ele enviasse algum representante da família para um encontro com o papa antes da cerimônia. Corria, como eu disse, o mês de julho, e vários executivos, assim como meus irmãos, não estavam no Brasil para participar. O aviso veio bem em cima da hora, e o Júnior só me comunicou na noite do dia anterior ao proposto encontro. Disse que eu precisava ir, pois não seria agradável recusar um convite do Vaticano. Topei, claro.

Logo em seguida consultei meus pais se eles gostariam de ir comigo. Ambos, no entanto, haviam estado na cidade de Aparecida do Norte no dia anterior para ver o papa. Disseram-me que foi uma jornada difícil, pois estava muito cheio, muito calor, e só conseguiram ver o papa a uns cem metros de distância. (Em Aparecia, aliás, na sua primeira homilia no Brasil, o papa expôs três mensagens aos milhares de fiéis: "Devemos seguir três simples posturas: conservar a esperança, deixar se surpreender por Deus e viver na alegria", disse ele na missa na Basílica do Santuário Nacional de Nossa Senhora Aparecida.)

O cansaço e as dificuldades em Aparecida fizeram meus pais agradecerem, mas declinarem do convite que fiz a eles. Achavam, com razão, que seria muito cansativo. Para completar, minha esposa tinha diversos compromissos de trabalho em sua empresa e também não conseguiria ir. Não insisti muito, pois achava que a viagem poderia ser complicada, conforme relatado pelos meus pais. Mas alguém tinha que ir, e só eu estava disponível para a tarefa.

E lá fui eu, sozinho. Peguei o voo da GOL para o aeroporto Santos Dumont no dia seguinte logo cedo e segui para a escola de treinamento de padres da Igreja Católica na Praia de Botafogo, onde seria realizado o encontro. Cheguei ao local, sem fila, nem multidão, falei meu nome na recepção do prédio e prontamente eles me levaram para uma sala no segundo andar. Esperei por uns quinze minutos nessa sala e depois me levaram para outra, juntamente com mais umas vinte pessoas, dentre elas alguns jornalistas e artistas conhecidos da televisão.

Sentei-me na primeira fileira, esperando que me chamassem para outro lugar em breve, mas percebi que havia uma poltrona logo na minha frente.

– O papa está a caminho – disse uma pessoa da organização.

Passados mais uns cinco minutos, vejo uma pequena movimentação de seguranças e, para minha surpresa, o papa entra na sala. Exibe aquele sorriso cativante que se tornou célebre no mundo inteiro, senta-se à minha frente e, após as apresentações do cardeal do Rio de Janeiro, começa a nos fazer um sermão, num portunhol bastante fácil de ser compreendido.

Fiquei totalmente paralisado com aquela cena inusitada. Aproveitei para filmar aquele lindo sermão que falava de amor e fraternidade, num discurso que até hoje me emociona fortemente. Papa Francisco mencionou a importância de preparar a terra, regá-la, fazê-la crescer em nome do amor e da união entre nós – para ele, uma grande família. Gravei aquela cena que marcará para sempre a minha vida.

Ao concluir aquele breve, mas lindo, pronunciamento para aquele seleto grupo do qual eu estava honrado em participar, ele pediu para rezarmos a Ave Maria. E, em seguida, olhou para mim, estendeu a mão e me chamou para dar a sua benção. Confesso que não sabia o que fazer. Tinha dúvidas se beijava sua mão, se tirava uma *selfie*, se me ajoelhava... Mas, com um sorriso aberto, ele me abraçou e simplesmente disse:

– Que Deus te abençoe.

Não precisava dizer mais nada. Após aquele abraço, o pessoal do evento tirou uma foto dele abraçado comigo. Infelizmente, até hoje não recebi a foto, nem recebi contato de ninguém da organização para entregá-la a mim. Uma pena. Mas guardei a imagem como poucas na vida.

Em seguida, perguntei para mim o que fazer ao sair da sala. Ainda estava zonzo com aquela surpreendente, inesperada e feliz jornada que vivi naquele dia.

Posso dizer que senti a vibração positiva do papa, se é que isso existe, e que ele tem um grande poder de reformar a Igreja em busca de uma sociedade mais justa e amorosa. Não estou dizendo que a religião é a solução da vida das pessoas, mas agir com compaixão é sempre a melhor forma de viver harmoniosamente. Guardo aquela experiência como uma maneira de crer que podemos sempre melhorar e acreditar num mundo mais pacífico e fraterno. Eu não esperava nada daquele dia, mas vivi ali, certamente, um dos momentos mais emocionantes da minha história.

26

Novo ciclo

Meu casamento, encontro com o papa Francisco, pressão do governo contra nós, abertura de capital do Smiles, primeiro ano integral da mudança de gestão da empresa – o ano de 2013 foi incrivelmente marcante por essas experiências. Algumas difíceis, outras emocionantes, todas certamente desafiadoras.

Também enfrentamos a paralisação da recém-adquirida Webjet. Anunciamos o seu fim em novembro de 2012, com previsão de devolução das aeronaves até o final do primeiro semestre de 2013. A frota estava em desacordo com a nova realidade do setor, com o petróleo novamente em patamares mais altos e aeronaves de nova geração em abundância no mercado. Seus 737–300 tinham idade média elevada, alto consumo de combustível e defasagem tecnológica.

Aquela decisão gerou certo mal-estar na companhia, afinal, pela segunda vez na história da GOL, reduziríamos nossa projeção de crescimento.

O Brasil não mais estava tão pujante. Pior: a economia dava os primeiros sinais de que não seguia no caminho correto. Aquilo iria resultar também em problemas políticos de altíssima conta. O governo do PT começava a exibir ali os primeiros sinais do desgaste que, apesar da reeleição de Dilma Rousseff no ano seguinte, culminaria na sua mais aguda crise, com consequências sérias para o país.

Dilma tomava decisões de forma apressada, sem muito critério. Passava por cima de aliados políticos e do Congresso Nacional. Exibia enorme dificuldade de diálogo com setores inteiros da economia. Por suas características pessoais, dedicava-se mais à gerência do que à necessária liderança – e geria mal. Tudo somado, o ambiente, antes totalmente favorável ao governo, começava a mudar, assim como o humor dos investidores com o Brasil.

Agências de *rating*, responsáveis pela análise da classificação de risco do país diante dos investidores internacionais, indicavam viés negativo para a economia brasileira. O Brasil entrava em rota descendente, que resultaria na perda do chamado *investment grade*, ou grau de investimento, em setembro de 2015 – data em que a agência Standard & Poor's rebaixaria a nota brasileira e colocaria o país entre os mercados de natureza especulativa. A partir dali, e desde então, o Brasil não seria mais classificado como um país seguro para se investir.

Aquela tendência negativa iniciada em 2013 gerou forte impacto sobre a GOL, como seria de se esperar. Novamente passaríamos a viver um ambiente desfavorável às nossas expectativas de crescimento. Mais uma vez a sina de fortes emoções se repetiria no setor. Os anos seguintes, 2014 e 2015, repetiram o mesmo ritmo de 2013.

Como se sabe, Dilma venceu o tucano mineiro Aécio Neves em outubro de 2014 de forma apertada. "Dilma derrota Aécio na eleição mais disputada dos últimos 25 anos", resumia o jornal *El País Brasil*, em 26 de outubro, para definir o placar apertado: 51,64% dos votos válidos para Dilma, ou 54,5 milhões, contra 48,36% para a Aécio, correspondentes a 51 milhões. Pelas dimensões do país, aqueles pouco mais de três milhões de votos eram nada. Ou quase nada.

A pequena diferença da vitória contra a oposição e uma campanha dura, violenta, repleta de ataques mútuos, deixou sequelas complicadas para a presidente e seu segundo mandato. O país saiu das urnas na mais intensa polarização até aquele momento. Isso e mais as atitudes contrárias aos interesses de diversos políticos criaram insatisfações generalizadas – ao ponto de, logo depois das eleições, o assunto *impeachment* surgir na imprensa, nos salões, gabinetes e corredores do Congresso e do STF, e também em rodas de empresários.

Aquele ambiente contribuiu, no fim das contas, para reduzir o ímpeto inicial de Dilma de retirar nossos *slots* em Congonhas. Também nos empenhamos, claro, em frear aquela iniciativa, mas o fato é que não havia mais clima para nos derrubar e retirar nossos ativos na força bruta. Os governistas recuaram.

Enquanto apertávamos o freio nas questões políticas, a companhia tomava medidas diversas para melhorar a qualidade dos serviços. O programa de fidelidade Smiles, agora uma empresa própria, separada da GOL, promovia inúmeras ações e campanhas de engajamento e aperfeiçoamento de seus produtos aos nove milhões de clientes cadastrados. Crescia, assim, de forma bastante intensa e alinhada com as políticas comerciais da companhia aérea. Aprimoramos ainda nosso sistema de vendas a bordo, conhecido como BOB – *Buy on Board*, ou "compre a bordo". Nele, procuramos criar mais opções para que passageiros comessem e bebessem durante o voo.

O presidente Paulo Kakinoff buscava implementar sua forma de gestão, sem eliminar tudo aquilo que fora criado ao longo dos anos de gestão do Júnior, agora no papel de presidente do Conselho de Administração. O alinhamento entre os dois dava os primeiros sinais de que funcionaria bem, o que foi fundamental para superarmos aquele novo momento vivido pela empresa, especialmente em 2014 e 2015.

Nossa parceria com a Delta Airlines também trouxe alguns benefícios. Durante dois anos, praticamente administrávamos em conjunto diversas ações implementadas para a melhoria dos serviços. Júnior, Kaki e eu viajávamos a cada dois meses a Atlanta, sede da Delta. Voávamos os cerca de 7.500 quilômetros de São Paulo para lá num dia e retornávamos no outro. Eram duas noites seguidas dentro de um avião.

Tínhamos um plano de recuperação econômica muito bem traçado, implantado de forma bastante ortodoxa e disciplinado. Mas o cenário era bastante complexo, de alto risco e com ameaças desafiadoras.

❖ ❖ ❖

Em 2015 vieram grandes mudanças – tanto no lado da gestão financeira e operacional quanto no lado da imagem da companhia. "Gol planeja lançamento de ações, atraindo sócios para Constantino", informava o jornal *Valor Econômico* já nos primeiros dias daquele ano. O jornal de negócios do Grupo Globo destacava ali nosso anúncio de que voltaríamos ao mercado para captar recursos por meio de emissão de ações.

Numa série de teleconferências com analistas, sendo duas em Nova York, apresentamos uma proposta de mudança de estrutura de capital, que permitia criar espaços para captar mais recursos, fortalecer o poder dos acionistas minoritários e assim atrair mais investimentos. "As oportunidades são vastíssimas [com a nova estrutura de capital] que poderemos aproveitar quando as condições de mercado forem favoráveis e a empresa precisar", disse o presidente numa dessas conferências.

O resultado foi um aumento de capital que aportaria mais R$ 400 milhões na empresa e uma grande reestruturação organizacional, com corte de custos desnecessários e repactuação de nossas dívidas. Também reprogramamos as entregas de novas aeronaves com a Boeing. Tudo isso para conter a desconfiança gerada por nossos modestos resultados alcançados em 2013 e 2014. Naquele momento, muitas apostas no mercado eram sobre quando a empresa iria quebrar. Poucas pessoas acreditavam em nossa retomada, e o preço das ações chegava aos valores mais baixos de nossa história. Aquilo abria alas para um novo pesadelo, em pleno aniversário de quinze anos da companhia.

Repetia-se, assim, o ambiente de 2008, quando o mercado nos olhava como verdadeiros derrotados. Apesar de toda aquela maré contrária, a família e os diretores ainda acreditavam em nossa capacidade de recuperação. Nunca perdemos nossa esperança e capacidade de resiliência. A empresa tem diversos fatores que garantem seu sucesso. Nosso sistema de vendas é um deles, muito forte, tanto pela *web* quanto pelo aplicativo. O programa de fidelidade Smiles é outro e, não à toa, se mostra hoje o maior e mais forte do Brasil. A equipe, hoje com quase vinte anos de experiência, sabe enfrentar com especial competência as situações adversas, com alta capacidade de reação, sobretudo nos momentos mais turbulentos.

A segunda mudança se deu no campo da imagem. Naquele mesmo ano de 2015, a área de *marketing* promoveu, juntamente com a agência de publicidade que nos atendia – a Almap –, a criação da nova GOL, com uma nova logomarca, nova pintura das aeronaves e novos uniformes para nossos colaboradores. Abandonávamos ali a logomarca que nos acompanhara por mais de quatorze anos. Também estabelecemos um novo programa da cultura de servir, na busca incessante de atender melhor aos nossos clientes.

A nova logomarca da GOL trazia dois elos, agora entrelaçados, representando a vocação da companhia de unir pessoas e lugares. Foram preservados a cor laranja e o uso do nome da empresa como logomarca, mas ganhou a figura de elos entrelaçados.

Ela foi apresentada num evento que reuniu jornalistas, convidados e funcionários no Hangar 3 do Centro de Manutenção da companhia, no Aeroporto de Confins, em Belo Horizonte. No palco, Júnior, Kaki e Donna Hrinak, ex-embaixadora dos Estados Unidos no Brasil e, desde setembro de 2011, presidente da Boeing na América Latina. (O evento marcou também a entrega da centésima aeronave 737 à GOL pela Boeing.)

Mas coube ao diretor de criação da Almap, Marcello Serpa, a missão de apresentar a nova logomarca. "Após anos, a GOL cresceu, está mais forte e mais parruda. Precisava de uma nova marca que refletisse isso", disse

Serpa na apresentação. "O principal ponto é que a companhia continua a ser inteligente – e é fácil ser eficiente com quatro aeronaves, como quando a companhia começou, muito mais difícil é com 140. A nova marca tem mais vigor, é mais contemporânea e mais moderna como a GOL."

A mudança ia além da marca. Como eu disse, aperfeiçoávamos ali o programa de serviços. Entre as novidades, um novo sistema de entretenimento, internet sem fio em todas as aeronaves, a volta de algumas novidades, como os *snacks* gratuitos, mudanças no sistema de vendas a bordo, garantindo mais opções de refeições, além de poltronas com mais espaço e revestidas de couro ecológico. Tudo isso preservando o princípio de uma companhia *low cost*, sem alterações, portanto, na política tarifária.

A Delta, nossa parceira na época, sempre estimulou a chamada NPS (*Net Promoter Score*), uma espécie de medidor de satisfação dos clientes. Era uma técnica bem-sucedida de medição da satisfação, coleta de *feedback* e captação de incômodos na aviação.

Criou-se assim um mecanismo para aperfeiçoar o atendimento aos passageiros. Pequenos, mas relevantes, detalhes como fechar a porta antes da hora marcada, melhorar o aplicativo, permitir facilidades como alterar o embarque ou antecipar um voo com um simples toque, criar a classe conforto entre os assentos, comunicar-se melhor – ninguém fica irritado com a empresa aérea exatamente porque seu voo atrasou, mas porque foi mal informado sobre as razões do atraso.

Nosso projeto sempre buscou criar uma cultura GOL de servir. Afinal, nossa principal razão de existir é o cliente. Aperfeiçoamos essa cultura para estimular o melhor atendimento – ou seja, estamos lá não só para transportar, mas também para atender. Para tanto, tivemos o papel importante da consultora Betânia Tanure, que era também conselheira da companhia, integrando o comitê de governança, e que nos ajudou a difundir essa cultura.

A empresa exibia mais maturidade. Saíra da adolescência. Estava mais formal, mais simétrica, e isso se traduzia na mudança da pintura e dos uniformes. Era uma GOL menos despojada, mais robusta, mais austera e mais madura – e, no sentido organizacional, mais disciplinada.

Foi somando os esforços das novidades com a reestruturação organizacional e a excelência de uma equipe disposta a enfrentar adversidades que superamos a grave crise daqueles anos. Certamente enfrentamos ali um momento de extrema dificuldade, um tombo ameaçador e preocupante, e só com muito trabalho e perseverança a empresa retomou a capacidade de crescer. Passamos pela pressão daqueles dois anos ainda mais fortes. Volto a repetir: quanto mais apanhamos, mais forte e cascudos ficamos.

Passada aquela crise, iniciaríamos uma nova fase para nossa gestão. Tentaram nos derrubar, mas não conseguiram. Nossos concorrentes trabalhavam com nossa derrocada, mas precisaram engolir nossa continuidade.

❖ ❖ ❖

No final de 2015, piorando o já deteriorado ambiente político, o então presidente da Câmara do Deputados, Eduardo Cunha, acatou um dos inúmeros pedidos de *impeachment* da presidente da República. O governo começava ali a enfrentar seu calvário final, que resultaria no afastamento temporário de Dilma Rousseff em maio de 2016 e no afastamento definitivo em outubro do mesmo ano.

Para o bem ou para o mal, iniciava-se naquele momento um novo ciclo no Brasil, com uma nova visão para o futuro do país. Não havia como dizer se seria melhor, mas o fato é que ninguém suportava aquela situação, com instabilidade política e crise econômica profundas. A abertura do processo de *impeachment* abria asas para um enorme desejo da sociedade brasileira. Havia um forte e evidente desejo de mudanças no ar. E elas chegariam rapidamente.

27

Arrumações antes da tempestade

O ano de 2016 parecia ser o de nossa retomada. A companhia demonstrava sinais de recuperação, as vendas voltaram a aquecer, e nossos competidores, mais realistas com a nossa situação, perderam o ímpeto para tentar nos derrubar.

Foi naquele mesmo ano que tivemos diversas conversas de união de forças justamente com algumas de nossas maiores rivais. Primeiro nos reunimos com o pessoal da Latam – uma rodada inicial em Buenos Aires e outra em São Paulo. Naquele ano, a brasileira TAM e a chilena LAN, que haviam se unido em 2013, iniciaram a unificação de marcas como uma única identidade. Passava a ser visível, assim, a marca Latam, e a ela se incorporavam, além da brasileira, as subsidiárias no Peru, Argentina, Colômbia e Equador.

Júnior e eu nos sentamos para conversar com o Maurício Amaro, que representava a família Amaro, da TAM, e seus sócios: os irmãos Henrique e Ignácio, respectivamente CEO e presidente do Conselho de Administração da Latam, e a família Cueto, controladora da empresa multinacional chilena. As conversas se deram sempre de forma bastante profissional e propositiva. Eram um teste de união que ora parecia avançar, ora não.

Só não avançamos de fato porque os advogados entenderam que aquela união seria de difícil aprovação integral pelos órgãos de controle da concorrência, tanto no Brasil quanto no Chile. Havia um cálculo evidente no ar: uma união entre GOL e Latam resultaria no domínio em torno de 80% do mercado brasileiro. Em Congonhas, principal aeroporto doméstico do país, abraçaríamos juntos uma fatia que beirava os 90%. Em Guarulhos, 70%. Eram parcelas muito dominantes nas mãos de uma nova companhia, algo difícil de ser aceito pelos órgãos de controle da concorrência naquela época.

Apesar de não bem-sucedida, foi uma boa oportunidade para conhecer melhor nossos competentes concorrentes chilenos. Não foi à toa que a Latam se tornou a maior empresa aérea da América Latina – embora, enquanto escrevo este livro e, em plena pandemia da Covid-19, acompanhe as notícias de recuperação judicial da empresa: primeiro, em maio de 2020, o Grupo Latam Airlines e suas afiliadas no Chile, Peru, Colômbia, Equador e Estados Unidos pediram proteção contra credores às autoridades norte-americanas; depois, em julho, foi a vez de a Latam Brasil entrar em recuperação judicial também nos Estados Unidos (a opção pela iniciativa em solo norte-americano se deve às leis daquele país serem mais flexíveis para a recuperação judicial de empresas).

Depois da tentativa frustrada de aproximação concreta com a Latam, avançamos em conversas com a Azul. Foram dois meses discutindo todas as possibilidades de unirmos forças e formarmos a maior empresa da América Latina, superando a Latam e adquirindo mais robustez para enfrentar aquela acirrada competição.

As discussões foram bastante intensas. Eu e o Júnior tivemos três reuniões com o controlador, David Neeleman, e um dos seus grandes acionistas, Renan Chieppe, que também é empresário de ônibus, do Grupo Águia Branca, oriundo do estado do Espírito Santo, e que, juntamente com José Mário Caprioli, da família Caprioli (fundadora da companhia aérea Trip), controlavam a Azul. Nessas reuniões chegamos a discutir os percentuais de participação entre as duas empresas, formas de gestão, frota e objetivos.

Esses encontros ocorreram em geral em nosso escritório na Vila Olímpia, zona sul de São Paulo. As equipes financeiras trocaram informações para ver se a união ficava de pé. A GOL era listada em bolsa; a Azul, não. O programa de fidelidade da Azul podia ser incorporado ao Smiles. Éramos maiores, mas Neeleman defendia, ao seu modo excessivamente assertivo, preferência absoluta e irrestrita.

– Queremos que o nome da empresa seja Azul – avisou, com toda a convicção característica.

Éramos maiores, repito, mas não tínhamos a mesma veleidade que ele exibia. Não seria um problema, a nova companhia poderia se chamar Azul, desde que a ideia prosperasse por maioria dos votos do novo Conselho de Administração. E passaria a usar a cor azul caso fizéssemos uma pesquisa de mercado – e esta demonstrasse ser a mudança mais adequada para os clientes e para a empresa.

As culturas organizacionais das duas companhias eram diferentes, mas esse nem seria o problema mais desafiador. Estivemos próximos, mas esbarramos em alguns detalhes fundamentais. O nó estava no apetite de David Neeleman.

Na última reunião, caminhávamos para a discussão sobre os percentuais de cada grupo. Colocamos nossa oferta na mesa, com a convicção de que era algo bem próximo do real numa negociação. Ele ficou magoado. Mais do que magoado, ressentido e raivoso.

– Não faz sentido para mim – retrucou.

Não era blefe de negociador. Ele realmente queria uma divisão numa proporção maior em favor da Azul. Ele não só não gostou de nossa proposta, como também levantou-se da mesa e saiu para não mais voltar.

Apesar de ser um grande empresário, Neeleman é bastante firme em suas posições e expectativas, e o diálogo foi de poucas palavras. Até hoje não compreendi muito bem o que aconteceu naquela mesa, e me pergunto se foi a dificuldade na linguagem, já que o português dele é bem difícil, ou se foi a nossa dificuldade de entender o seu inglês. Ou talvez ele estivesse já com outra oferta na mesa...

Difícil dizer, mas o fato é que era uma conversa extremamente complicada. Especialmente pela dificuldade reconhecida que ele tem de ficar parado – quinze ou vinte minutos sentado a uma mesa parece ser uma eternidade para ele, tarefa impossível de ser cumprida.

Como é público, Neeleman sofre de Transtorno do Déficit de Atenção com Hiperatividade (TDAH). E, ao que parece, recusa-se a ser medicado – tem medo de ficar parado e, assim, perder a criatividade. Num perfil publicado sobre ele na época em que negociava a aquisição da TAP, a revista portuguesa *Visão* relembrou um episódio conhecido. Durante uma palestra em Harvard, perguntaram-lhe por que não tratava o seu problema. Ao que ele respondeu:

– Se fizesse isso, ficaria igual a vocês.

Se ele dizia algo assim numa palestra para jovens estudantes ávidos por absorver seu conhecimento, imagine do que era capaz numa conversa dura de negociação sobre uma possível fusão.

Tendo a concluir, no entanto, que os dois lados tinham negociadores bastante duros, e essa dureza inviabilizou o negócio. Poderia ter sido uma boa fusão para todos, mas não se concretizou.

Passada essa conversa, a Azul receberia aportes de capital da chinesa HNA (Hainan Airlines) e da norte-americana United Airlines, e com esses novos investimentos foi capaz de abrir o capital da empresa no ano seguinte, em 2017. Passaríamos então a enfrentar uma competição ainda mais forte.

Enquanto isso, continuamos nossa retomada, melhorando a cada dia os resultados e desafiando ainda mais nossos competidores.

Vivíamos ali um momento de novas ambições, com o Brasil passando a exibir um ambiente econômico mais satisfatório. O vice-presidente da

República, Michel Temer, assumira o mandato da presidente impedida, Dilma Rousseff. E logo ao assumir prometeu mudar o país. Com ele, e com Henrique Meirelles no Ministério da Fazenda, o governo parou de fazer trapalhadas econômicas.

Temer tinha uma vantagem clara em relação à antecessora: exibia uma visão de economia muito melhor, sabia como conduzir as negociações com o Legislativo, terreno que conhecia como poucos pelos anos em que atuou no Congresso. Sabia quem mandava e quem não mandava, e como operá-los. Sabemos o quanto essa característica produzia, claro, efeitos colaterais, mas o mais importante é que Temer e sua companhia apresentavam uma noção do Estado e do empresário muito melhores do que Dilma. Seu governo era mais pró-negócios, o que nos dava uma esperança muito maior.

Em paralelo, a Operação Lava Jato seguia seu trabalho com intensidade e eficácia. Havia uma sensação de que o país passava por um processo de faxina ética sem precedentes. Vários agentes políticos e empresários eram presos, e o maior controle da corrupção produzia um efeito positivo – a maioria dos brasileiros parecia estar convicta de que dias melhores estavam por vir.

Apesar das críticas, já naquele momento presentes, sobre a forma como a Lava Jato conduzia as investigações e os investigados – até um ex-presidente da República fora convocado a depor para a Polícia Federal e para os procuradores do Ministério Público –, não havia dúvida de que a Justiça dava demonstração de que faria seu trabalho sem pensar nos cargos, nas condições financeiras ou nos privilégios históricos de que as elites políticas e econômicas gozavam no país até então.

Sérgio Moro, juiz e anos depois ministro da Justiça e da Segurança Pública, tornou-se celebridade nacional ao liderar com empenho as operações, as prisões e as sentenças. Difícil negar que seus resultados foram efetivos e que diversos corruptos e corruptores foram derrubados por seu pulso forte. Se não fosse sua atitude, dificilmente conseguiríamos gerar essa fase mais correta de nossa sociedade.

Foi exatamente naquele ambiente de enfrentamentos, operações e combate à corrupção que descobriram meu maior equívoco.

Naquela onda de arrumação, acabei envolvido por algo que jamais gostei de fazer, mas por uma fraqueza pessoal, mesmo com bom propósito, fui pessoalmente engolido e acabei aceitando o favorecimento. Em toda a vida pessoal e profissional, sempre busquei fazer o certo. Era uma rota da qual jamais me desviara. Naquele momento, no entanto, buscando um resultado positivo para uma de nossas empresas, aceitei uma proposta indecorosa, indesejável, incorreta. Usei a máxima de que os fins justificam os meios. Fiz algo bem-intencionado de uma forma errada.

Um gol contra que conto a seguir.

28

Gol contra

Meu gol contra começou a ser anotado no final de 2011, quando fui visitado por um empresário que eu conhecia, dono de uma revenda de veículos multimarcas em São Paulo. Ele sabia que eu estava dedicado a desatar um nó típico do mundo dos negócios no Brasil: um pedido de financiamento da concessionária de rodovias.

Desde 2009 a concessionária era responsável pela administração de mais de quatrocentos quilômetros de uma rodovia no estado de São Paulo. Um empréstimo estava parado na Caixa Econômica, banco estatal que administra um fundo de investimento em infraestrutura, o FI-FGTS. O pedido nem era vetado nem saía. Simplesmente não andava, preso na burocracia ou nas gavetas de quem desejava oferecer dificuldade para colher facilidades.

— Conheço alguém que pode ajudar você — esse empresário me avisou, me convidando para ir à sua casa, no bairro do Itaim Bibi, zona sul de São Paulo.

Achei estranho, pois eu nunca havia compartilhado o tema com ele, e muito menos com esse alguém que ele dizia conhecer para me ajudar. Resisti.

— Venha à minha casa, pelo menos ouça a proposta — o empresário insistiu.

Acabei cedendo à primeira investida e resolvi ir ao encontro. Afinal, uma oferta de ajuda poderia ser muito bem-vinda, pois precisávamos daquele financiamento para realizar investimentos na rodovia. Havia um bem maior, eu pensava.

Chegando lá, conheci o tal amigo do empresário. Era Lucio Bolonha Funaro, economista, operador no mercado financeiro e típico personagem do mundo das finanças que se tornaria conhecido no Brasil dos últimos anos. Não liguei o nome à pessoa, mas eu seria lembrado mais tarde que Funaro havia sido investigado no caso Banestado, em 2003, pelo juiz Sérgio Moro. Ali havia firmado seu primeiro acordo de colaboração premiada com a Justiça. Em 2005 o mesmo Funaro participara do chamado Mensalão, escândalo do PT e outros partidos da base governista que quase afundou o governo Lula. Com pouco mais de trinta anos de idade, Funaro amealhara uma fortuna, contaria a imprensa mais tarde.

– Sei que você tem um pedido de financiamento – repetiu Lucio Funaro, assim que fomos apresentados. – E esse financiamento só vai sair se você contar com nosso trabalho para destravá-lo.

– E sem a sua ajuda? – questionei.

– Continuará amarrado.

Simples assim. Dois pontos me deixaram intrigado, mas seria fácil chegar à conclusão do que se tratava. Primeiro, o fato de eu não ter comentado com ninguém – nem com o empresário, nem com aquele novo interlocutor, a quem eu não conhecia até aquele dia. O segundo estranhamento era o recado antecipado de que o processo estaria barrado, a despeito da regularidade e do legítimo direito do pleito.

– Não vou mexer com isso – respondi, num primeiro momento. Sabia que o projeto era bom, a empresa solicitante tinha crédito e capacidade de pagamento e, acima de tudo, executaria algo com benefícios claros para a rodovia, para seus usuários e para a região. Exibia, portanto, todas as condições para ser aprovado. Por que aquela ajuda é que faria a diferença? Percebi a tentativa de extorsão de imediato.

– Então nem espere muito. O financiamento não vai sair – ele me avisou.

A solução apresentada gerava a sensação inevitável de que eu estaria pagando por um serviço não pela sua execução, mas para não ser vetado.

– Pelo menos escute o que ele tem a dizer – insistiu o empresário que nos apresentou.

E então Funaro falou, sem que eu precisasse descrever qualquer detalhe da operação que estava parada no banco: bastava eu pagar a intermediação normal de mercado que o financiamento estaria em nossas mãos. Seria rapidamente liberado. Por outro lado, se eu me recusasse a fazer isso, mesmo estando tudo em ordem, o pedido não seria liberado. Ou seria negado ou arquivado, pouco importava.

Eu tinha a certeza de que o nosso pedido estava 100% correto, enquadrado nos termos exibidos pelo fundo de investimento. Abrangia os custos, prazos e condições plenamente estabelecidos em lei. Mas qualquer liberação, somente com a contratação de Funaro. E então fiz o cálculo do qual me arrependo até hoje: se aderisse à proposta, pagaria a ele o mesmo preço que precisaria pagar a qualquer outro intermediador financeiro – um banco, por exemplo. Entendia que aquilo não seguia as regras de mercado, mas do ponto de vista financeiro era rigorosamente o que se praticava. E cedi.

Selamos a "consultoria" e marcamos uma reunião para dali a alguns dias, na sede da Caixa Econômica, em Brasília. No local e na hora marcada, estavam presentes vários técnicos do banco. Conversa inteiramente republicana, com foco absoluto no projeto. Tanto que, a certa altura, um dos técnicos afirmou:

– Finalmente temos um projeto de infraestrutura para analisar.

Havia vários projetos emperrados no banco, que simplesmente nem sequer chegavam às áreas técnicas da instituição para serem analisados e aprovados (ou vetados). Eram barrados bem antes, à espera provavelmente das "soluções" destinadas a destravá-los. Entre esses projetos estava o nosso, uma fábrica de celulose de Joesley Batista, um projeto da Mafrig e um frigorífico do Grupo Bertin.

Um único projeto – o nosso – tinha foco em infraestrutura. Envolvia melhoria na região por onde passava a SP–300, com um objetivo social claro: melhorar o escoamento de safra, aumentar a produtividade e garantir segurança viária.

Tive mais alguns encontros com Lucio Funaro, e, em menos de três meses, o financiamento estava aprovado. E, depois de mais outros três meses, os recursos pleiteados estavam na conta da empresa – após quase dois anos de inércia.

Com os recursos liberados, realizamos os investimentos em obras e benfeitorias de infraestrutura, exatamente como previsto em contrato. Também cumprimos todas as garantias e as regras de uso social da verba, direcionada para a concessão da rodovia. Tudo dentro das regras. Exceto a "ajuda" para destravar a liberação.

Ao longo de 2012 e 2013, paguei à empresa de Funaro diversas parcelas, dentro do valor combinado para a "consultoria". Há outros poucos fatos relatados, os quais não posso comentar por envolverem, até aqui, cláusulas de confidencialidade no acordo que acabei assinando com o Ministério Público Federal em 2019. Nenhum desses "favores" pelos quais paguei tinha características de vantagem pessoal, desvio de recursos, fraudes licitatórias ou favorecimentos concorrenciais. Tudo o que pedi sempre tinha uma justificativa mercadológica e sistêmica, e sempre procurava criar o equilíbrio de eventuais distorções setoriais.

Em síntese, o propósito era bom, mas não poderia ser alcançado da forma como fiz. Em português claro: eu jamais poderia ter aceitado realizar os acordos da forma como aceitei, muito menos pagar por eles. Fiz tudo dentro das regras e das legislações vigentes, mas a forma de fazê-lo estava completamente fora da lei.

Muitos dizem: "É assim que se joga no Brasil". Outros afirmam: "O Brasil não é a Suíça". Mais alguns: "Se não pagar, nada sai". Ou: "Se não pagar propina você não consegue ser empresário neste país". Isso tudo pode até ser verdade em muitos casos, mas o fato é que aquilo que aceitei fazer poderia ser negado. Era um pagamento de propina, ponto. Sem tergiversações, estamos falando de algo claramente ilegal.

Funaro e quem mais estivesse trabalhando com ele não conseguiram a liberação do empréstimo por atuar na análise e na aprovação, e sim porque tinham um esquema de favorecimento de empresários que vinha acompanhado de liberação política. É fácil jogar a culpa nos outros e não assumir os próprios erros. É claro que eu tinha escolha. Eu deveria ter saído daquela primeira reunião no Itaim Bibi e procurado outra alternativa fora do banco estatal, coisa que não fiz. Acabei me convencendo e aceitando seguir adiante da maneira mais fácil e conveniente.

Não superfaturamos, não roubamos dinheiro público, pagamos juros de mercado e oferecemos todas as garantias possíveis e, depois de alguns anos, liquidamos o empréstimo com lucro real para o fundo que emprestou aqueles recursos. Também não fraudamos nenhum ambiente competitivo. Ninguém deixou de receber financiamento público para que nosso pleito recebesse privilégios, passando na frente de outros. E, acima de tudo, todos os recursos recebidos foram aplicados em obras de melhoria da infraestrutura, sem nenhum centavo de desvio de finalidade.

Caímos, no entanto, na rede da corrupção. Hoje esses fatos são públicos e já foram devidamente denunciados pelo Ministério Público Federal. Participamos de um esquema que, mais tarde, mostraria ter tentáculos na diretoria da Caixa e entre políticos poderosos, entre os quais o presidente da Câmara dos Deputados e principal algoz de Dilma Rousseff, Eduardo Cunha.

Os fins jamais justificam os meios – não é porque você não está roubando de ninguém que pode pagar propina para facilitar sua vida. Aceitar o caminho mais fácil, jogando irregularmente o jogo perverso como é jogado nos subterrâneos de Brasília, foi meu grande gol contra. Algo que marcou e marcará toda a minha vida.

29

Limpando a infecção

Foram duas operações realizadas com aquele grupo – que hoje é acusado pelo Ministério Público Federal como sendo uma quadrilha. Uma forma vexatória, vergonhosa de se envolver, mesmo com reais diferenças em relação ao que, por exemplo, empreiteiras faziam, como a Lava Jato revelou nos últimos anos. Admito mais uma vez: os empregos e a utilidade pública envolvidos não justificavam a parceria ilegal.

O esquema seria descortinado em 1º de julho de 2016, aquele fatídico dia em que policiais federais bateram rudemente à minha porta. Naquela sexta-feira, Lucio Funaro foi preso em São Paulo. Eduardo Cunha já estava afastado da Câmara dos Deputados. Mandados de busca e apreensão, autorizados pelo ministro Teori Zavascki, então responsável pela Lava Jato no STF, foram executados em São Paulo, no Rio de Janeiro, em Pernambuco e no Distrito Federal. Além da busca e apreensão na minha casa e no meu escritório, policiais foram à Eldorado Brasil, empresa de celulose que fazia parte da holding J&F, controladora do grupo JBS.

Desdobramento da Lava Jato, a operação ficou conhecida como Sépsis. Baseava-se essencialmente na delação de Fábio Cleto, ex-vice-presidente da Caixa indicado por Eduardo Cunha, e de Nelson Mello, ex-diretor de Relações Institucionais do Grupo Hypermarcas. Segundo depoimento de

Cleto, que integrava o comitê de investimentos do FI–FGTS, o grupo de Cunha e Funaro cobrava propinas variáveis – 0,3%, 0,5% ou até mais de 1% dos repasses feitos pelo fundo. As propinas seriam divididas entre políticos.

A Polícia Federal se notabilizou pelo arsenal profícuo de denominações dadas às suas operações. No dia em que foi deflagrada a operação que incluiu o mandado de busca e apreensão no meu apartamento e no meu escritório, toda a imprensa tratou de explicar seu significado.

Sépsis, informava o reconhecido Dr. Dráuzio Varella, é o nome do que antes se chamava septicemia, ou ainda infecção no sangue: "Uma doença completa e potencialmente grave, desencadeada por uma resposta inflamatória sistêmica acentuada diante de uma infecção, na maior parte das vezes causada por bactérias". Essa reação, lembra Varella, é a forma que o organismo encontra para combater o micro-organismo agressor. "Para tanto, o sistema de defesa libera mediadores químicos que espalham a inflamação pelo organismo, o que pode determinar a disfunção ou a falência de múltiplos órgãos, provocada pela queda da pressão arterial, má oxigenação das células e tecidos e por alterações na coagulação do sangue." Em outras palavras, era um recado da Operação Lava Jato sobre a corrupção sistêmica instalada na política e nos órgãos públicos brasileiros. Mais claro, impossível.

Era 1º de julho, como já escrevi, e eu já estava com férias marcadas. Na condição de investigado, não havia processo contra mim, eu não era réu de qualquer coisa. Tratava-se de um inquérito em curso, com desdobramentos incertos, mas ainda assim um inquérito apenas. Estava livre, portanto, para viajar, e segui de férias para os Estados Unidos.

Na volta, no fim daquele mês, tomei a decisão de deixar o Conselho de Administração da GOL e da Smiles. Eram empresas de capital aberto, portanto, vulneráveis se envolvidas em um caso como aquele. Eu precisava me afastar. Buscaria uma solução que não afetasse nem minha família nem meus negócios.

Aproveitei a primeira das reuniões semanais que os irmãos fazíamos.

— Vou me afastar — avisei.

Eles chegaram a esboçar alguma resistência, franqueando a decisão a mim. Mas concordaram. Sabiam que era a melhor decisão, em nome da empresa e da família.

O passo seguinte foi ir à GOL. Comuniquei um a um — o CEO, Paulo Kakinoff; o vice-presidente financeiro na época, Edmar Prado Lopes Neto; e outros diretores, entre eles Richard Lark, que assumiria o posto naquele mesmo período. Fui aos conselheiros da Smiles, incluindo o presidente da empresa, Leonel Dias de Andrade Neto. Os conselheiros lamentaram bastante. Alguns reagiram com frieza.

— Você sabe que pode ficar e contará com o nosso apoio — muitos me disseram.

Muitos com quem eu havia trabalhado nos últimos dez anos foram muito calorosos. Outros, mesmo mais distantes, demonstraram preocupação comigo. Houve quem expressasse muita tristeza e defendesse minha permanência, embora reconhecesse que se tratasse mais de uma decisão pessoal.

Achei que seria melhor. Poderia me dedicar à minha defesa e, acima de tudo, preservaria a companhia aérea, de modo que ela estivesse completamente desvinculada daquele problema.

Com meus advogados, decidi que estaria inteiramente à disposição das autoridades para colaborar com a Justiça. Iria buscar mecanismos capazes de ajudar a Justiça a esclarecer todos aqueles fatos. Trabalho que começaria imediatamente — foram três ou quatro meses iniciais dedicados somente à recuperação de detalhes.

Em outubro daquele ano, meus advogados começaram a contatar o Ministério Público para explicar o caso de forma colaborativa. Foram 35 reuniões com agentes públicos nos três anos seguintes, num vaivém infindável de troca de informações e consultas em busca de benefícios para os dois lados.

Começou com a Procuradoria-Geral da República (PGR), em Brasília, por se tratar de processo envolvendo um deputado federal, que tem foro especial. Em seguida a PGR, comandada na época pelo procurador-geral Ricardo Janot, designou a força-tarefa da Lava Jato em Curitiba para tocar o assunto. Esta chegou a fazer uma proposta de acordo no final daquele mesmo ano. Mas Eduardo Cunha caiu, e o STF definiu nova jurisdição do caso. Passamos por Brasília e Curitiba.

A certa altura o caso ficou no limbo, entre a saída de Janot e a entrada de Raquel Dodge, indicada em setembro de 2017 pelo presidente Michel Temer. Foi uma época extremamente difícil, repleta de reviravoltas, crises de ansiedade, dúvidas, incertezas. Fazíamos reunião com a PGR, que mandava para o Ministério Público Federal de primeiro grau, com atuação em estados diferentes, e assim a vida parecia andar em círculos intermináveis.

Em dezembro de 2017, tudo parecia caminhar novamente para um acordo.

— Está tudo certo, falta só a Dra. Raquel [Dodge] assinar — informou um procurador da República com quem negociávamos o acordo.

Não assinou. Depois voltaríamos a conversar com procuradores do Ministério Público Federal do Distrito Federal — foram no total cinco procuradorias diferentes, se considerarmos que a PGR de Janot era bem diferente da PGR da sucessora Raquel Dodge. Cada uma delas com inúmeras reuniões. Os nervos estavam à flor da pele com o passar do tempo e com tantas idas e vindas.

A homologação de minha colaboração acabaria saindo somente em maio de 2019, assinada pelo juiz federal Vallisney de Oliveira, da 10ª Vara Federal em Brasília. O acordo teve onze relatos, que são chamados de anexos, e para cada um deles foi realizado um depoimento formal. Nesses casos, passa a valer o depoimento, a minha palavra. Fiquei dois dias inteiros gravando depoimentos na Procuradoria. Foram dias muito tensos, afinal, eu não podia errar. Qualquer palavra fora de lugar obstruiria o trabalho de uma vida inteira. Saí exaurido.

Não posso dizer que fui maltratado nesses depoimentos. Todos eram educados. Num deles, um procurador me perguntou, com ar de imensa curiosidade:

— Desculpe perguntar, mas você é o cara do *Vips*?

Sorri. Estava acostumado à velha menção ao golpista que anos antes se passara por mim naquela festa em Recife. Aquela mesma pergunta já havia sido feita por investigadores em diferentes momentos – todos curiosos para arrancar algum detalhe do caso que ganhou notoriedade nacional e virou filme.

Os depoimentos tinham um lado fácil e outro muito difícil. O lado fácil é contar a verdade, e eu estava disposto a fazê-lo integralmente. O difícil é a tensão do momento e a necessidade de absoluto rigor nas datas. Eu dizia para os procuradores:

– A Odebrecht tinha um departamento de propina com duzentas pessoas. Esse meu caso tem uma só cabeça, e algo que aconteceu em 2012.

Não era fácil recuperar tudo na memória – datas, horários, anotações. Mas passei. O próprio juiz que homologou a colaboração ressaltou que, no meu depoimento, não há gaguejo, não há demonstração de dúvida. A seriedade deixou-o confortável para tomar a decisão. Não houve questionamento no depoimento prestado e muito menos sobre a veracidade dos fatos.

No despacho do juiz, algo que espelha o cuidado que tive e não posso deixar de registrar: "Diga-se que para cada anexo foi realizado um depoimento, em que *o referido depoente apresenta regularidade, clareza, fidedignidade, voluntariedade, transparência e conhecimentos sobre os fatos retratados no acordo*". O grifo é meu.

Não devo dar mais detalhes além do que estou compartilhando neste livro. Muito se noticiou a respeito, com menção a alguns políticos. As notícias são públicas, deixo para a imprensa fazer o seu trabalho, sublinhando que ocorreram especulações, fruto de vazamentos inconsequentes.

Apesar da vergonha que passei, de possivelmente ter envergonhado a minha família e escancarado o mau exemplo que apresentei, aquela indesejável visita da Polícia Federal em meu apartamento impactou meus pensamentos e mudou minha vida, pois foi só com aquilo que me livrei totalmente daquela doença que me atacou por um período. Uma doença que nos impede de fazer sempre o certo e abre caminho para a tentação de aceitar o que é errado.

Não podemos ficar quietos diante da corrupção, esse mal que assola nossa sociedade. A corrupção é realmente um câncer a ser combatido cotidianamente. É uma serpente capaz de envolver pessoas que, como eu, saibam estar fazendo errado e se justifiquem com o fato de o mundo funcionar dessa forma. É inaceitável. É abominável.

Lamento ter gerado tanta tristeza a meus familiares, que nunca tiveram nada a ver com isso. Assim como um jogador que algum dia faz um gol contra, como empresário preciso admitir que errei, que caí em tentação e que marquei um gol contra mim mesmo.

Hoje estou cumprindo fielmente o compromisso de compensar eventuais prejuízos causados e ajudar os agentes públicos na explicação de tudo o que ocorreu. Estou me dedicando exclusivamente a arrumar a bagunça que fiz e voltar a ser reconhecido como um atuante e progressista empreendedor brasileiro.

Desde julho de 2016 não participo mais do Conselho de Administração da GOL, deixando toda investigação à vontade para levantar todos os meus atos praticados. Renunciei ao cargo que ocupava, o de vice-presidente do Conselho de Administração da empresa que ajudei a criar e fazer crescer. Sinto muita falta de todos os momentos que relatei neste livro, incluindo os momentos magníficos de crescimento e os mais desafiadores e duros para a empresa e seus dirigentes.

Eis a minha maior penalidade. O máximo que posso fazer hoje é participar das reuniões de acionistas juntamente com meus irmãos e dar meu palpite – sem influenciar nem participar diretamente das decisões e seus acontecimentos. Em 2021 a empresa completará vinte anos de vida, que parecem ter sido ontem, e passaram literalmente – com o perdão do trocadilho – voando. Também em 2021, chegarei aos cinquenta anos, e espero em breve poder voltar a dar meu apoio integral para ajudar a popularizar, cada vez mais, o transporte que tanto amo.

30

Sangue laranja

Depois do meu fatídico gol contra, pouco participei da vida da GOL. Só fui consultado em momentos de envolvimento do acionista controlador, quando conversamos entre nós, os quatro irmãos, sem ferir qualquer tipo de regra de sigilo. Dividimos o controle da companhia, mas são eles que hoje ocupam cargos de conselheiros e atuam na gestão da empresa. Eu, não.

Sinto muita vontade de ajudar mais, porém, hoje me informo sobre o que está sendo feito na condução da empresa muito mais pela imprensa. O mercado é muito radical com quem se envolve em situações como a que vivi e não permite mais sua intervenção na gestão, ainda que eu não tenha sido nem julgado nem condenado a nada de forma processual. Devo dizer, porém, que fui julgado e condenado de forma real.

Recebo os relatórios de resultados trimestrais no mesmo dia que todos os acionistas recebem, apesar de fazer parte do grupo controlador. Participo como ouvinte num caso ou outro, até porque acabo sendo relevante pelo meu histórico no negócio e nos diversos assuntos antigos da empresa.

Em 2019, por exemplo, nossa parceira Delta resolveu nos trocar pela nossa rival Latam, rompendo uma parceria de quase dez anos. Corria o mês de setembro – sempre setembro trazendo más notícias – quando o CEO da Delta, Ed Bastian, ligou para o Júnior. Era uma ligação estranha, com o pedido de conversa urgente. Precisava falar ainda naquele dia.

– Estou em reunião, pode ser às seis da tarde? – perguntou Júnior.

Não, não poderia, informou o futuro ex-parceiro. Tinha de ser antes do fechamento do mercado, avisou. Era a senha para um aviso que certamente não nos agradaria.

– Estamos fazendo um acordo operacional com a Latam. Vamos encerrar a parceria com vocês e informar ao mercado assim que as bolsas encerrarem – avisou o CEO, de maneira direta. – Não é nada pessoal, você sabe, queremos continuar amigos de vocês.

– Para mim se torna pessoal – respondeu Júnior, num misto de chateação, nervosismo e raiva. – Obrigado por me avisar, mas não espere de nosso lado uma amizade, diante do que você está fazendo com a gente.

Foi uma conversa ruim. Eu estava ao lado do Júnior na hora da ligação. Aquela era uma total traição, uma punhalada nas costas de um parceiro que conciliava estratégias com a GOL havia mais de dez anos. Um parceiro que estava optando por migrar para nosso principal concorrente.

Não sei dizer o real motivo para a Delta nos trocar pela Latam, mas provavelmente foi a sede de ampliar horizontes na América do Sul – já que a empresa chilena tinha uma malha mais extensa que a nossa no continente – aliada à vontade de atacar seus arquirrivais da American Airlines, principalmente no mercado da Flórida, até então amplamente dominado pela parceria da Latam e American. Tudo com certeza influenciou a decisão dos executivos de Atlanta. Enfim, a ganância pelo domínio fez com que parcerias longevas fossem encerradas. Deu-se assim uma mudança radical na atitude daquela empresa, que no dia anterior se dizia nossa grande parceira e conhecedora de todas as nossas discussões, mas que no dia seguinte seria nossa rival.

A Delta cumpriu a promessa e anunciou não só uma parceria de compartilhamento de voos com a Latam como também uma compra de 20% do capital da nossa concorrente, por US$ 1,9 bilhão.

No dia seguinte, divulgamos um comunicado, assinado pelo presidente, vice-presidentes e diretores. O comunicado tentava acalmar o mercado, minimizando o fim do acordo de código de compartilhamento de voos, ao mostrar que a Delta representava apenas 0,3% da nossa receita total. "Ontem encerramos a parceria com a Delta em seu formato original, iniciando um processo de adequação nos próximos meses. O nosso acordo de compartilhamento de voos com a empresa representa 0,3% da receita total da GOL. Por isso, esse movimento não representa impacto para a nossa companhia, e seguimos com todos os nossos objetivos traçados."

O mercado reagiu bem. Apesar de considerarem o negócio negativo para a GOL, analistas disseram ao jornal *O Estado de S. Paulo*, por exemplo, que o impacto não deveria, de fato, ser tão grande. Em relatório, o Credit Suisse disse, por exemplo, que "operacionalmente falando", a parceria entre GOL e Delta não foi relevante para o faturamento da companhia brasileira. O Bradesco apontava algum impacto sobre o programa de milhas Smiles.

Com o fim do acordo, a previsão era que a GOL perderia acesso ao fundamental mercado norte-americano. Só que não. Ainda no mesmo dia em que Ed Bastian informou a traição naquele telefonema para o Júnior, recebemos diversas mensagens de empresas dos Estados Unidos sobre uma potencial parceria. Dias depois estávamos almoçando com o CEO da United Airlines e, em seguida, com a American Airlines. Afinal, a Delta havia rompido de forma deselegante e nos deixava livres para conversarmos com seus concorrentes também. Acabamos fechando um acordo de compartilhamentos de voo, sem exclusividade, com a American Airlines, pois esse tipo de acordo é essencial para nossos clientes e suas necessidades de diferentes rotas complementares.

Eu só participo desse tipo de evento, que envolve assuntos estratégicos relacionados diretamente aos acionistas. Mas participo sem comando de voz na decisão, concentrando-me no apoio e na recomendação. Minha contribuição passou a ser na torcida e nas sugestões aos meus irmãos. Jamais deixarei de colocar a minha experiência na mesa pois, apesar do tempo, ainda conheço cada palmo daquele nosso escritório ao lado do aeroporto de Congonhas. Porém, não posso mais participar do cotidiano da empresa e seus desafios diariamente.

Pelos executivos da GOL, na condição de fundador, ainda sou chamado para os eventos festivos de aniversário, lançamento de novos produtos e eventuais encontros sociais. Algumas vezes vou até a empresa almoçar e visitar meus velhos amigos que ainda continuam por lá. Enquanto todas as investigações não forem concluídas, enquanto eu não encerrar meu trabalho de esclarecimento nas ações judiciais em curso, ficarei sob a mira da área de *compliance*. Nada mais justo para uma empresa com capital aberto e listada em duas grandes bolsas de valores.

Essa transparência e esclarecimento para todas as pessoas, principalmente os acionistas minoritários, é fundamental para a consolidação dos sistemas de controle de uma nação organizada. Sou o maior defensor desse nível de governança corporativa e fui o primeiro a tomar uma posição contrária à minha permanência na empresa diante das circunstâncias que eu estava vivendo, apesar de ver certos exageros por parte de alguns determinados organismos da sociedade. Muitas vezes eles negam concessões de forma arbitrária, sem critério, simplesmente porque seu nome saiu em algum comentário jornalístico, mesmo sem evidências de veracidade.

Reconheço que, nesse cenário que está criado, é bem provável que eu nunca volte a ser o que fui dentro da empresa, que a cada dia voa mais alto sem depender de mim. Sei que ainda posso ajudar bastante, especialmente nos momentos de definições estratégicas, como foi no caso da decisão de deixar de voar com a aeronave 737–Max, após dois acidentes consecutivos com aquele avião. Mesmo sabendo que nossa situação era diferente e que tínhamos convicção da segurança operacional das nossas aeronaves desse modelo, não podíamos continuar sem saber mais detalhes dos acidentes. Diante disso, eu e meus irmãos nos reunimos horas antes de dar nossa opinião de parar todas as aeronaves que tínhamos desse modelo na frota. É claro que houve uma reunião do Conselho de Administração que orientou essa definição, mas partiu da família a decisão de sugerir a paralisação, mesmo antes de a ANAC e a FAA sugerirem, dias depois, a proibição de voo daquele modelo.

Sempre que vou à empresa sou tratado com muito carinho e admiração. Escuto comentários pedindo meu retorno e dizendo que faço muita falta para a companhia. Embora considere que podem ser verdadeiros, sei que é uma demonstração mais de saudade da minha pessoa e da minha presença do que propriamente necessidade de meu apoio. A empresa não precisa mais de mim. A GOL virou uma instituição, ou melhor, uma verdadeira corporação.

Apesar dessa magnitude, ainda vejo a felicidade das pessoas em "fazer correr o SANGUE LARANJA nas veias". Vejo o brilho laranja nos olhos das pessoas de nosso "Time de Águias", como costumamos dizer internamente desde a fundação da empresa. Isso ninguém jamais tirará de quem viveu as coisas que vivi. Os anos se passaram, mas as memórias continuam. Sinto esse mesmo sangue correr em meu corpo, igualmente nos momentos de felicidade e tristeza, diante dos altos e baixos de nossa operação e da incrível flutuação dos preços de nossas ações.

Os preços são um caso à parte. Eles saíram de R$ 26,57 em nossa abertura de capital, em 2004, para R$ 80 em 2005, voltando para R$ 13 em 2009 e em seguida R$ 30 em 2010, caindo ao limite de pouco mais de R$ 1,20 em 2015, voltando em 2019 para próximo a R$40.

Foram anos de flutuação absurda do dólar e do petróleo. Da migração instantânea da condição de herói num dia para vilão no outro. De grande para pequeno e depois grande empresário novamente. Sendo bem tratado por um governo e maltratado pelo outro. Sendo recebido com carinho por um presidente e nem sequer recebido pelo outro. Mudando no começo de desafiante para atualmente desafiado.

Uma volatilidade sem fim, essa é a vida de um empresário de uma empresa aérea, com emoções diárias e nada de monotonia. Nosso maior prazer é ver pessoas sorrindo dentro de nossas aeronaves e saber que de alguma forma estamos participando da vida dessas pessoas. Quantos namoros, casamentos, filhos, negócios e amizades nasceram dentro de nossos voos. Quantos funcionários se conheceram e se casaram dentro da empresa. Quantas emoções foram vividas, sofridas e admiradas pelas pessoas envolvidas nesse projeto chamado GOL. Nunca deixamos de pensar em ganhar dinheiro e fazer do negócio algo financeiramente bem-sucedido, mas sem esses dividendos paralelos e subjetivos não há razão para embarcar num empreendimento tão difícil, tão incerto, tão repleto de altos e baixos.

No começo, a GOL era o sonho de quatro jovens irmãos, hoje é uma realidade de dezesseis mil colaboradores. No primeiro dia tínhamos seis aeronaves voando, hoje são 132 aviões ajudando o Brasil a se desenvolver. Em 2019 chegamos a 34 milhões de passageiros transportados, ou quase cem mil passageiros experimentando nossos serviços diariamente. Por isso, ouso dizer, buscando algum eco entre todos os brasileiros e seu apelo indescritível ao futebol: O BRASIL PEDE GOL.

Epílogo

UM VÍRUS VIAJA PELO MUNDO, MATA CENTENAS DE MILHARES DE PESSOAS, PARALISA OS CÉUS E REDEFINE NOSSO FUTURO

O ano de 2019 chegou junto com os primeiros passos do governo Jair Bolsonaro como presidente da República, que indicava um novo rumo na economia brasileira. A longa crise econômica nascida no governo de Dilma Rousseff parecia ter sido estancada na gestão de Henrique Meirelles no governo de Michel Temer – mas o otimismo de Meirelles e sua agenda de reformas acabou estancado pelo ambiente político. Depois de uma disputa presidencial turbulenta, a chegada de Bolsonaro ao poder e, com ele, do novo ministro da Economia, Paulo Guedes, pareceu reacender novas esperanças econômicas.

Guedes não estava sozinho. Veio com ele uma equipe reconhecida no mercado como extremamente competente, capaz de colocar o Brasil num crescimento econômico consistente. Era essencialmente composta de empresários, banqueiros, técnicos qualificados, pessoas do mais alto gabarito, espalhadas pelos bancos estatais e pelos gabinetes ministeriais. Além disso, o ministro exibia um histórico vencedor. Com larga experiência no setor privado, Guedes é o típico caso de quem tem tino para os negócios. Sabe ganhar e fazer dinheiro. Estava apto, portanto, a capitanear uma equipe totalmente voltada para uma economia de mercado aberta, promissora, orientada para os negócios e capaz de gerar um ambiente de empreendedorismo e crescimento.

Os projetos de alavancagem econômica se mostravam astronômicos, como se podia constatar nos documentos do Ministério da Infraestrutura, chefiado por Tarcísio Gomes de Freitas: mais de cem projetos de novas concessões, ou PPPs, destinados a multiplicar os negócios país afora. Havia diversos projetos de privatizações em curso, com alta demonstração de interesse pelo mercado internacional.

Com a tão esperada reforma da Previdência no final do ano, o humor do mercado de capitais com o país parecia em alta. Apesar dos tropeços nas articulações com o Congresso e na agenda de votações, além dos calorosos debates entre os poderes Executivo e Legislativo durante a tramitação da reforma, ela foi aprovada de forma muito satisfatória para as pretensões governamentais. "Foi um ano bastante produtivo", resumiu Paulo Guedes, em balanço realizado em dezembro. "O programa [do governo] é muito abrangente. Começamos atacando o problema fiscal mais importante, que era a Previdência. A reforma começou com objetivo de R$ 1,2 trilhão e acabou equilibrada, com R$ 800 bilhões [de economia] para a União." Era um passo fundamental depois de muitos anos de descontrole nos gastos públicos, que levou o Brasil a crises cambiais, surtos de inflação e estagnação econômica.

Havia razões, portanto, para olhar o futuro imediato – e de longo prazo – com mais otimismo. Dava-se ali um passo importante rumo a uma retomada econômica mais vigorosa e consistente. Ainda existiam discussões sobre as demais reformas, especialmente as reformas administrativa e tributária, mas o ambiente de incerteza e contaminação política se reduzia drasticamente com a nova Previdência federal. Para não citar que diversos estados também estavam aprovando suas reformas regionais, garantindo uma amplitude ainda maior na gestão das contas públicas – algo que afiançava o almejado crescimento econômico.

Com isso, todos os benefícios auferidos estavam se materializando num PIB projetado mais alto para 2020, além de redução do desemprego naquele ano. O dólar estava comportado, situando-se na faixa entre R$ 3,60 e R$ 3,90, habitualmente oscilando conforme o ritmo das declarações sempre estimulantes e controvertidas do presidente da República.

Como a esmagadora maioria do empresariado e do mercado financeiro, apostamos num 2020 promissor – para alívio de todos, empresas e trabalhadores, a economia parecia que decolaria para patamares não vistos nos últimos cinco anos. Tínhamos grandes expectativas na GOL, apesar de vivermos os problemas operacionais relativos à paralisação das aeronaves 737–Max. (Essa é a quarta geração da família 737, da Boeing, e com ele anunciamos uma projeção de aumento de produtividade superior a 20% e redução de 15% no consumo de combustível; era, para nós, como dissemos em comunicado, o pilar da estrutura de custos e estratégia de internacionalização da malha aérea. Mas precisamos fazer um pouso forçado nessa aeronave, pois ela estava impedida de voar devido a dois acidentes no ano anterior.)

Os estudos, no entanto, projetavam um crescimento da demanda em torno de 10% até o fim do ano. Os relatórios recebidos sugeriam grande euforia. Havia cheiro de bonança no ar.

❖ ❖ ❖

Tamanha animação duraria poucos dias. Um vírus apareceu na China, na cidade de Wuhan, na província de Hubei, e mudou o curso dessa história no mundo inteiro. E, claro, no Brasil.

Se o primeiro caso em Wuhan foi reportado em 31 de dezembro de 2019, em janeiro começariam as primeiras (e intensas) reportagens indicando um novo vírus, denominado Sars-CoV-2. Esse vírus desencadeia a Covid-19, sigla em inglês para *coronavirus disease*, uma doença respiratória aguda que se espalharia de maneira devastadora. A partir de meados de janeiro, ocorreram os primeiros casos fora da China continental – primeiro na Tailândia, depois no Japão, Coreia do Sul, Estados Unidos, Taiwan, Cingapura. No fim do mês o vírus chegava à Europa, com o primeiro caso na França.

A Covid-19 chegou ao Brasil em 26 de fevereiro, após a confirmação de um homem de 61 anos de idade, que havia retornado da Itália para São Paulo. Iniciava-se ali um *tsunami* que geraria milhares de mortes e bloquearia as aspirações de uma economia que começava a se recuperar desde os maus ventos soprados a partir de 2014. Em 11 de março, a Organização Mundial da Saúde (OMS) declarou que estávamos diante de uma pandemia. Ou seja, oficialmente seus efeitos atingiram e continuariam a atingir o mundo todo, não sendo mais possível isolar a doença num país ou numa região. Uma semana depois, o presidente dos Estados Unidos, Donald Trump, anunciava em entrevista que invocaria a lei de guerra. Comparava ali os esforços aos da Segunda Guerra Mundial. O ambiente era mesmo de guerra – uma guerra contra um inimigo invisível, mas de sequelas bastante significativas e alto poder de disseminação.

Essa doença mudou a história do mundo e com certeza será lembrada por muitos anos por todos os cidadãos do planeta. Seus efeitos na saúde mundial ainda não estão totalmente medidos, mas demonstram uma capacidade de estrago universal. Até o início de setembro, atingiu o patamar de mais de 26 milhões de registros de pessoas contaminadas em todo o mundo, com quase novecentas mil mortes. No mesmo período, o Brasil registrou mais de quatro milhões de casos, com cerca de 124 mil mortes.

Esses números relatam apenas os casos registrados, e ninguém sabe ao certo quantas pessoas realmente foram contaminadas, pois muitos casos são assintomáticos e nem sequer são relatados às autoridades, assim como o número de mortos, que certamente deve ser muito maior do que aquele registrado.

Ninguém seria excluído do desastre. O mundo experimentou o isolamento entre os países, fronteiras foram fechadas, cidades e nações ficaram isoladas. Os voos internacionais foram todos cancelados, estabelecimentos comerciais acabaram fechados, e os profissionais de saúde passaram a recomendar que ninguém saísse de casa, estabelecendo quarentenas e isolamentos sociais. A vida se tornou uma realidade representada nos filmes de Hollywood, onde as cidades ficam desertas, os aeroportos fechados, os hospitais lotados, as poucas pessoas que circulam usam máscaras, e as manchetes das mídias *online* e impressa destacam os pronunciamentos repetidos pelos governantes do mundo inteiro.

Passamos a viver uma situação jamais vista na humanidade fora os momentos de guerra. Estamos vivendo uma verdadeira Guerra Mundial, pois 100% da população da Terra está envolvida. Todos os setores da economia, seriamente afetados, sofrerão as consequências dessa paralisação por um longo período.

A cotação do dólar chegou próximo a R$ 6,00. A bolsa de valores despencou consideráveis 30% num mês. As ações da GOL perderam inacreditáveis 80% do valor em apenas dois meses. O PIB projetado para o ano desabou de 2,5% positivo para algo em torno de 6% negativo. O ambiente promissor e otimista se tornou pessimista e regressivo, com a projeção de desemprego em massa para os meses seguintes.

❖ ❖ ❖

A GOL reduziu a malha dos anteriores oitocentos para cinquenta voos diários, sendo que o Brasil ainda é o único país da América do Sul a manter uma malha aérea doméstica, com o intuito de atender ao mínimo de um transporte nacional essencial. A ANAC, a Secretaria de Aviação Civil (SAC) e a Associação Brasileira das Empresas Aéreas (ABEAR), juntamente com as companhias aéreas, encontraram uma forma de prestar um serviço que atendesse as necessidades básicas do país. Ainda assim, estávamos ali diante de uma redução de 95% da demanda de passageiros transportados antes da denominada Crise do Corona.

Foram semanas, meses, de tensão, estresse e incertezas. A empresa teve de paralisar contratações de profissionais e suspender a busca por aeronaves. Obrigados a percorrer o caminho inverso do que imaginávamos no início do ano, passamos a negociar reduções de quadro, licenças não remuneradas, férias coletivas, suspensão dos contratos de trabalho, redução de jornada e de salários – enfim, todas as medidas possíveis para enfrentar o novo quadro. Era algo absolutamente diferente daquilo que se esperava. Em vez de buscarmos novas aeronaves, passamos a discutir a devolução de algumas delas. Em vez de crescer, reduzir de tamanho para adaptar-se aos novos tempos.

Os números indicam um 2020 30% menor do que 2019. Passamos a viver a famosa música de Raul Seixas: "O dia em que a Terra parou". Justamente num ano de aniversário especial – vinte anos de existência –, voltamos a janeiro de 2001, passando a operar com inconcebíveis seis aeronaves. Voltamos quase vinte anos no tempo. Precisaremos nos reinventar como pessoas e como empresa, em busca de uma nova GOL com duas décadas de experiência. E o mais grave: constatar a dor das famílias que perderam entes queridos e veem suas finanças pessoais desabarem também, no compasso de um congelamento generalizado da economia.

Andar nos aeroportos e ver aquela quantidade de aeronaves paradas dá tristeza no coração. Ver os profissionais da empresa olhando para você com aquela sensação desesperada e sem resposta para o que vai acontecer gera uma angústia sem precedentes. Aquele cenário pujante e vigoroso virou um cenário triste e de poucas esperanças. O ambiente agora é de uma tragédia contra a qual não podemos fazer muita coisa, a não ser obedecer às ordens de isolamento e cuidados pessoais. Cumprir o papel de cidadão virou uma atividade diária ainda mais intensa, isolados dentro de nossas casas. Comandar os negócios e dar opiniões de como preservar o futuro das empresas e nossos colaboradores passou a ser nossa rotina.

Acima de tudo, nosso objetivo maior é o de salvar vidas, voltando à nossa essência de seres humanos, mas também de transportadores de pessoas. Nossa função social foi sempre prestar um serviço à comunidade prezando pela segurança de voo – ou seja, sempre preservando a vida de nossos clientes. Salvar uma vida vale mais do que qualquer quantia financeira, por isso precisamos continuar lutando sempre contra doenças desse tipo.

É uma história no gerúndio. Não acabou e, como é típico das crises desta era, é incerto quando e como terminará – da mesma forma como surpreendeu a todos quando surgiu. Ninguém sabe exatamente qual será o final dessa doença e quais serão seus efeitos. A única coisa certa é que o mundo vai mudar. As relações interpessoais vão mudar. As relações afetivas, profissionais e de trabalho vão mudar. Estima-se que, no início de 2021, os cientistas deverão encontrar uma vacina que irá imunizar a população desse poderoso vírus, e só depois poderemos contabilizar todos os estragos produzidos.

Relatar este capítulo pode ser o último de minha vida sobre o nosso sonho. Aquela GOL de 2001 com certeza não existirá mais após essa pandemia. Este livro definitivamente relatará a primeira GOL, aquela que brilhou no céu da pátria por duas décadas. Aquela que me enche e sempre me encherá de orgulho, por ter participado, por ter me dedicado, por ter me entregado de corpo e alma. Não estou dizendo que a companhia aérea não continuará existindo, nem que ela não poderá crescer e ser ainda mais forte. Só estou ressaltando que aquela GOL romântica e apaixonada que ajudei a criar não será mais a mesma.

Tenho esperanças de poder voltar a contribuir com a empresa em breve, assim que o Judiciário e os órgãos de controle entenderem que cumpri minha pena, mas, enquanto isso não acontece, tenho convicção de que a equipe que está na GOL hoje, e meus irmãos que ainda continuam lá, saberão como conduzir a empresa, certamente de uma forma ainda mais forte e poderosa do que a daquela primeira empresa. Esses vinte anos foram longos, mas passageiros – como nossos clientes. Tenho convicção, insisto, de que a empresa deverá se reinventar para continuar desbravando os céus deste lindo país no futuro.

Minha contribuição para a sociedade ao contar essa primeira fase da minha história acaba por aqui. Que venham os próximos anos e que tenhamos muitas experiências a serem compartilhadas.

Livros para mudar o mundo. O seu mundo.

Para conhecer os nossos próximos lançamentos
e títulos disponíveis, acesse:

🌐 www.**citadel**.com.br

f /**citadeleditora**

📷 @**citadeleditora**

🐦 @**citadeleditora**

▶ Citadel - Grupo Editorial

Para mais informações ou dúvidas sobre a obra,
entre em contato conosco pelo e-mail:

✉ contato@**citadel**.com.br